Klaus W. Wellershoff

Plädoyer für eine bescheidenere Ökonomie

Über Wissen und Nichtwissen
in der Finanzindustrie

NZZ Libro

Bibliografische Information der Deutschen Nationalbibliothek

Die Deutsche Nationalbibliothek verzeichnet diese Publikation
in der Deutschen Nationalbibliografie; detaillierte bibliografische Daten
sind im Internet über http://dnb.d-nb.de abrufbar.

© 2018 NZZ Libro, Neue Zürcher Zeitung AG, Zürich

Lektorat: Marcel Holliger, Zürich
Umschlag, Gestaltung, Satz: icona basel
Druck, Einband: Druckhaus Nomos, Sinzheim

ISBN 978-3-03810-331-8
ISBN 978-3-03810-358-5 (E-Book)

www.nzz-libro.ch
NZZ Libro ist ein Imprint der Neuen Zürcher Zeitung.

Inhalt

Einleitung 7

Wachstum 19
Wirtschaft – was ist das? 21
Wachstum und Wohlstand 24
Produktivität und langfristiges Wachstum 27
Aussenhandel und die sogenannte Wettbewerbs-
fähigkeit von Nationen 36
Trendwachstum der Zukunft 39
Konjunktur 49

Inflation 71
Inflation am Horizont? 73
Geldmenge und Preisniveau hängen zusammen 76
Für Hyperinflation braucht es mehr
als grosse Geldmengen 87
Wie kommt das Geld in den Wirtschaftskreislauf? 90
Die zentrale Rolle der Inflationserwartungen 94
Inflationsausblick 99

Finanzmärkte 107
Finanzmärkte – was treibt sie an? 109
Finanzmarktpreise reflektieren Zukunftserwartungen 111
Der Zins im Mittelpunkt der Finanzmärkte 115
Der Aktienmarkt reflektiert Gewinn-
und Zinsentwicklung 125
Zinsen bestimmen auch die Preise von Obligationen
und Immobilien 131
Wechselkurse reflektieren nicht Zins-,
sondern Inflationsunterschiede 136

Schlussfolgerung: Das Finanzmarktumfeld
zwingt zum Umdenken 149

Anlegen 151
Was tun mit dem lieben Geld? 153
Unsicherheit an den Finanzmärkten 156
Das Risiko erwarteter Renditen 161
Risiko und Rendite in der Praxis 167
Vom Menschenbild der Finanzökonomie 172
Auch Privatpersonen sollten sich
Anlagerichtlinien geben 176
Anlagestrategien, die nachvollziehbar sind
und funktionieren 180
Anlegen mithilfe der Finanzindustrie 190
Finanzbranche vor grossem Umbruch 200

Schlussgedanken 203

Quellenverzeichnis 213

Autor 215

Einleitung

Wissen ist nicht Macht, sondern Verantwortung.

Als ich im Jahr 1995 die Universität verliess und meine erste Stelle als Ökonom antrat, hatte ich mir geschworen, niemals ein Buch zu schreiben. Bücher seien etwas für die Ewigkeit. Mein Wissen war bestenfalls nur vorläufig. Gab es nicht eh schon viel zu viele Bücher? Warum noch ein Buch schreiben?

Dabei habe ich gar keine Abneigung gegen Bücher. Ich lese gerne und viel. Auch sammle ich alte Bücher und kann mich stundenlang damit beschäftigen, sie in allen Details zu studieren. Dennoch sind die Zahlen des Büchermarkts für mich abschreckend. In den letzten 20 Jahren sind im deutschen Sprachraum mehr als 1,5 Millionen neue Bücher erschienen. Wozu also noch ein weiteres Buch schreiben? Lassen Sie mich das erklären.

Seit mehr als zwei Jahrzehnten betreibe ich die Beschäftigung mit Ökonomie und Finanzmärkten als meinen Beruf. Die ersten 14 Jahre im Auftrag einer Schweizer Grossbank. Zwölf Jahre davon als Chefökonom. Vor acht Jahren habe ich mit einer Reihe von Kollegen eine Beratungsunternehmung gegründet, die andere Unternehmen über Fragen der Wirtschafts- und Finanzmarktentwicklung berät. Vor drei Jahren kam eine Beratungsgesellschaft für Bankkunden hinzu, die ihren Kunden helfen soll, zu verstehen, ob die Leistung ihrer Bank oder ihres Vermögensverwalters wirklich gut und nicht zu teuer ist.

Seit vielen Jahren besteht ein Teil meiner Arbeit darin, an der öffentlichen Diskussion um ökonomische Themen teilzunehmen. In dieser Diskussion geht es regelmässig um Dinge, die mit einer ihrem Wesen nach unsicheren Zukunft zu tun haben. Prognosen sind gefragt. Es geht dabei aber leider häufig um Fragen, über die wir Ökonomen nur wenig gesicherte Erkenntnisse haben. Mit Staunen habe ich in all diesen Jahren feststellen müssen, dass mir Kollegen im Na- Viele Ökonomen täuschen ein Wissen vor, das sie gar nicht haben

men der ökonomischen Wissenschaft Dinge über die Zukunft mit einer Sicherheit erklären, von der wir wissen, dass es sie nicht gibt. Häufig sind sogar die Grundlagen, auf denen dieses scheinbare Expertenwissen beruht, bereits seit vielen Jahren widerlegt. Viele dieser Kollegen sind interessanterweise Buchautoren.

Betrachten wir ein paar Beispiele. Nehmen Sie das oft mit grossem Engagement diskutierte Thema der Staatsverschuldung. Wie viele Ökonomen haben uns nicht schon darüber in Angst und Schrecken versetzt, dass eine hohe Verschuldung der öffentlichen Hand geradewegs in den wirtschaftlichen Untergang führt? Ich erinnere mich an einen österreichischen Professor der Betriebswirtschaftslehre an meiner Universität, der uns Studierenden 1988 genauso die wirtschaftliche Zukunft voraussagte. «Raus aus den Aktien, rein in Cash!», war seine Empfehlung damals und ist es seither mehr oder weniger ununterbrochen bis heute. Seit 1988 ist der amerikanische Aktienmarkt um 750 Prozent gestiegen. Bargeld hat in diesem Zeitraum 20 Prozent seiner Kaufkraft verloren.

Damit wir uns richtig verstehen: Die Staatsverschuldung der Industrienationen ist ein sehr ernsthaftes Problem. Dies gilt insbesondere dann, wenn das Verhältnis von Staatsverschuldung zu Volkseinkommen kontinuierlich steigt. Irgendwann einmal werden die Menschen einen nicht mehr tragbaren Anteil ihres laufenden Einkommens für die Zinszahlungen für die Schulden, die ihre Vorfahren gemacht haben, aufbringen müssen. Das ist besonders schwierig gutzuheissen, wenn die Schulden nicht für Investitionen in die Zukunft, sondern für den laufenden Konsum der Gesellschaften aufgenommen wurden. In der Bewertung einer steigenden Verschuldung gibt es daher in der Regel einen breiten Konsens. Was aber häufig verschwiegen wird, ist: Bis zu dem Zeitpunkt einer quasi objektiven Überbelastung der zukünftigen Generationen kann sehr viel Zeit vergehen.

Ich kann mich gut erinnern, dass eine meiner ersten Aufgaben als frischgebackener Chefökonom darin bestand, eine Rede für den Vizepräsidenten des Verwaltungsrats unserer Bank zu schreiben. Es ging um Japans ökonomische Zukunft. Damals, im Jahr 1997, war uns bereits klar, dass es dem Land nicht mehr gelingen konnte, die ausufernde Staatsverschuldung in den Griff zu bekommen. Das Verhältnis von Staatsschuld zu Volkseinkommen belief sich in etwa auf den Wert, den wir heute im Schnitt der westlichen Industrienationen sehen, allerdings mit stark steigender Tendenz. Dennoch erschien uns eine unmittelbare Schuldenkrise in Japan als sehr unwahrscheinlich. Zu niedrig waren die Zinsen, als dass der Schuldendienst für die Bevölkerung in der nahen Zukunft nicht mehr tragbar gewesen wäre. Seitdem sind 20 Jahre durchs Land gegangen. Heute liegt die Verschuldungsquote Japans mehr als doppelt so hoch mit immer noch steigender Tendenz. Von einem Kollaps der Wirtschaft oder der Gesellschaft kann aber bisher keine Rede sein.

Zugegeben, das Wachstum der Einkommen der Bevölkerung lag in diesem Zeitraum in Japan nur bei etwa zwei Drittel desjenigen der Amerikaner. Das lag aber wohl massgeblich an der in Japan bereits seit längerem greifbaren Überalterung der Gesellschaft. Trotz des Ausbleibens der Krise ist heute genau wie vor 20 Jahren klar, dass Japan irgendwann zu drastischen und nicht marktkonformen Reformschritten greifen muss, um sich aus dieser verfahrenen Situation zu befreien. Ein Schuldenschnitt oder aber eine Entwertung der Verpflichtungen durch hohe Inflation erscheint unvermeidbar.

Angesichts des realen Vermögensverlusts, den das bedeuten wird, wird dies mit grösster Wahrscheinlichkeit eine veritable Wirtschaftskrise auslösen. Bei der enormen internationalen Verflechtung der japanischen Industrieunternehmen und Banken ist auch mit weltweiten Auswirkungen einer solchen japanischen Wirtschaftskrise zu rechnen. Wann diese eintreten wird, lässt sich heute aber ebenso wenig vorhersagen wie vor 20 Jahren. Aufgrund der nochmals deutlich gestiegenen Verschuldung wissen wir lediglich, dass wir dieser Entwicklung näher gekommen sind.

Japans enorme wirtschaftliche Schieflage ist ein Thema, das uns alle angeht. Dementsprechend sollten wir doch erwarten, dass wir

Ökonomen dieses Thema mit grosser Sorgfalt behandeln und angemessene Prognosen machen. Stattdessen müssen wir mit Staunen beobachten, dass meine Zunft entweder Japan ignoriert oder aber wie besagter österreichischer Kollege seit Jahren die gleichen apokalyptischen Visionen verbreitet. Leider ist Japan in dieser Beziehung kein Einzelfall. Denken Sie an die Themen Inflation oder Euro. Auch hier scheint es zwischen Weltuntergang und Agnostik kaum eine vernünftige Zwischenposition zu geben. Was geht in der öffentlichen Diskussion solcher Fragen eigentlich schief?

Viele Ökonomen verwechseln das Wünschbare mit dem Erwartbaren

Mir scheint, viele meiner Kollegen haben Schwierigkeiten damit, das Wünschbare nicht mit dem tatsächlich Erwartbaren zu verwechseln. Kategorien von Richtig und Falsch und von Gut und Böse beeinflussen unsere Wahrnehmung von ökonomischen Zusammenhängen in einem Masse, dass wir die öffentliche Diskussion kaum noch mit praktisch verwertbare Analysen bereichern. Allzu häufig gilt: Was nicht sein darf, das nicht sein kann. Oder genauer gesagt: Was wir für richtig halten, soll in der Zukunft gelten.

Diese Vermengung von Wunschvorstellung und Realität findet sich interessanterweise auf ökonomischem Gebiet am häufigsten dann, wenn es um das liebe Geld geht. Eine ganze Finanzindustrie hat sich um die Wünsche und Träume der Anleger aufgebaut. Statt einer passenden Anlagelösung wird der Traum vom einfachen Anlageerfolg verkauft.

Erinnern Sie sich an die «Neue Ökonomie»? Das war in der zweiten Hälfte der 1990er-Jahre die Vorstellung, dass die neue Informationstechnologie uns hohes Produktivitätswachstum und das Verschwinden der Konjunkturzyklen bringen würde. Damit verband sich die Anlageempfehlung, dass man als Aktionär nur in vielversprechende Unternehmen der Informationstechnologie zu einem frühen Zeitpunkt investieren müsste, um in kurzer Zeit von gewaltigen Kurssteigerungen der Aktien zu profitieren. In Deutschland und in der Schweiz wurden für diese neuen Firmen eigene Börsensegmente mit tieferen Anforderungen für die Aufnahme in den Handel geschaffen. Der deutsche «Neue Markt» und der Schweizer «SWX-New Market» waren die Wahrzeichen des Aufbruchs in eine schöne neue Welt.

Eine schöne neue Welt, die zu skurrilen Exzessen geführt hat. Der Höhepunkt der Übertreibung war für mich der Börsengang der Schweizer Unternehmung Think Tools. Wie der Name schon sagt, war das Produkt der Firma ein Werkzeugkasten von recht einfachen Software-Bausteinen, mit denen das menschliche Denken unterstützt werden sollte. Inhalt und Konzept erinnerten mich damals stark an das, was ich im ersten Semester an der Hochschule St. Gallen in Betriebswirtschaftslehre kennengelernt hatte. Wie dem auch sei, der charismatische Firmengründer Albrecht von Müller schaffte es, kurz nach der Vorstellung der Produkte am World Economic Forum (WEF) eine eigentliche Euphorie für seine Think Tools zu entfachen.

Am ersten Handelstag der Aktie schoss der Kurs vom Ausgabewert von 270 Franken auf 1050 Franken empor. Damit lag der Unternehmenswert deutlich über 2 Milliarden Franken. Voller Staunen stellten wir damals fest, dass das mehr war als der Börsenwert der Fluggesellschaft Swissair. Think Tools hatte aber gerade einmal zehn Mitarbeiter und machte lediglich 10 Millionen Franken Umsatz. Nach zwei Jahren war der Spuk dann vorbei. Der Aktienkurs sank unter 30 Franken, und der Name Think Tools verschwand vom Börsentableau. Weltweit endete die «Neue Ökonomie» mit dem Platzen der grössten Börsenblase, die wir bis jetzt gesehen haben. Entgegen den Vorstellungen einer schönen neuen Welt kam es in der Folge zu einer Weltrezession, und das Produktivitätswachstum ist nicht gestiegen, sondern gesunken.

Wer meint, dass dies eine ganz besondere Übertreibung der Finanzwirtschaft gewesen sei, mag recht haben. Dennoch gilt auch heute, dass bei Anlagefragen die Träume der Anleger eher im Mittelpunkt stehen als deren objektive Bedürfnisse. So werden Finanzanlagen meist mit dem zumindest impliziten Versprechen verkauft, dass eine überdurchschnittlich hohe Rendite erzielt werden könne.

Anlegern werden oft unrealistische Versprechungen gemacht

13

In einem Markt, in dem das praktisch alle Anbieter tun, kann das Versprechen natürlich nicht von allen gehalten werden. Aus unzähligen akademischen Untersuchungen, aber auch aus der praktischen Erfahrung unserer zweiten Beratungsgesellschaft wissen wir, dass die überwiegende Mehrzahl der angebotenen Anlagelösungen schlechter als die durchschnittliche Marktentwicklung abschneidet. Wie das möglich ist? Eigentlich sollten doch 50 Prozent besser und 50 Prozent schlechter als der Marktdurchschnitt sein.

Tatsächlich entsteht diese überproportionale Minderleistung im Wesentlichen durch eine hoffnungslose Selbstüberschätzung vieler Finanzexperten und natürlich durch die Gebühren der Anbieter. Vermögensverwaltung ist teuer. Die Gewinnmargen der Verwalter sind im Vergleich zu anderen Industrien sehr hoch. Offensichtlich sind die Kunden bereit, für den Traum des einfach verdienten Geldes einen guten Preis zu bezahlen. «Selber schuld!», möchte man sagen. Aber das Anbieterverhalten lässt schon staunen: Da wird den Kunden von einer Mehrzahl der Anbieter eine Mehrrendite in Aussicht gestellt, im Wissen darum, dass schon allein die erhobenen hohen Verwaltungsgebühren mit grosser Sicherheit dazu führen werden, dass gerade diese Überrendite für den Anleger kaum zu erreichen ist.

Zur Ehrenrettung der Finanzindustrie muss man betonen, dass es tatsächlich überdurchschnittlich begabte Investoren gibt, die über längere Perioden besser abschneiden als der Markt. Auch kann die Leistung des Vermögensverwalters – und das ist sehr wichtig zu verstehen – nicht nur an der erzielten Rendite gemessen werden. Immerhin ist der Verlauf der Finanzmärkte unter anderem von vielen nicht vorhersagbaren Entwicklungen abhängig. Damit sollte Risikofragen bei der Leistungsbeurteilung von Anlageprodukten und -dienstleistungen mindestens ein ebenso hohes Gewicht zukommen wie der erzielten Rendite.

Es ist dennoch erstaunlich, dass diesem Themenkomplex in der Öffentlichkeit praktisch keine Aufmerksamkeit zuteilwird. Fast scheint es, als wollten sich die Anleger diesem Thema gar nicht wirklich rational nähern. Dabei müssten sich eigentlich breite Bevölkerungsschichten für dieses Thema interessieren. Geht es doch letztlich um ihre Altersvorsorge und das Erbe ihrer Kinder. Stattdessen finden immer wieder neue marktschreierische Themen eine breite Aufmerksamkeit. Auch und gerade in Büchern.

Was ich mit diesen einleitenden Beispielen sagen will? Die Ökonomie ist in der öffentlichen Wahrnehmung auf seltsame Weise zu einer Unterhaltungsindustrie verkommen. Anstatt uns auf die Dinge zu konzentrieren, bei denen wir einen wertvollen Beitrag zur öffentlichen Diskussion leisten könnten, bedienen wir lieber Vorurteile in der politischen Diskussion und das Bedürfnis der Menschen, hellseherisch in die Zukunft zu blicken. Um im Unterhaltungsmarkt Aufmerksamkeit zu erlangen, werden immer lautere und schrillere Behauptungen und Prognosen über die Zukunft erstellt. Im Grunde leiden grosse Teile meiner Zunft an einem gewaltigen Mangel an Bescheidenheit.

Die Ökonomie verkommt zur Unterhaltungsindustrie

Das wirklich Unglückliche an dieser Entwicklung ist, dass aufgrund der Kakofonie an ökonomischen Weissagungen in der öffentlichen Wahrnehmung kaum noch unterschieden werden kann zwischen tatsächlich nützlichem Wissen und bestenfalls interessanter Spekulation. Der dauerhafte Missbrauch des uns Ökonomen entgegengebrachten Vertrauens ist dabei, unsere Glaubwürdigkeit vollständig zu zerstören.

Um diesem Trend vielleicht ein wenig entgegenzuwirken, schreibe ich dieses Buch. In meinen zwölf Jahren als Chefökonom einer Schweizer Grossbank habe ich entgegen dem Eindruck, der in unzähligen ökonomischen Publikationen erweckt wird, gelernt, dass unser Wissen als Ökonomen beschränkt ist. Konkret lauten meine drei wichtigsten Lernerfahrungen:

Wir wissen wenig, das Wenige ist aber sehr mächtig

1. Wir wissen wenig über die Zukunft.
2. Das Wenige ist dafür aber sehr mächtig.
3. Wir geben uns wahnsinnig viel Mühe, das Wenige, das wir wissen, nicht wahrhaben zu wollen.

15

Dies sind Lernerfahrungen, die nicht nur für meine Arbeit, sondern auch für viele Ihrer wirtschaftlichen Entscheidungen grosse Konsequenzen haben sollten. Schnell einmal rückt die Frage «Was weiss ich eigentlich über die Zukunft?» in den Mittelpunkt unserer Überlegungen. Prognosefähigkeit und Prognosefehler werden dann mindestens genauso wichtig wie Prognosen selbst.

Wer sich die Frage danach stellt, welchen Zukunftsaussagen zu trauen ist und welchen nicht, spart sich viel Zeit. Die Beschäftigung mit irgendwelchen vollkommen ungesicherten Aussagen und Informationen fällt dann schnell einmal weg. Viel wichtiger noch, man beginnt, ganz andere Entscheidungen zu fällen. Wer einmal verinnerlicht hat, was er (oder sie) nicht weiss, wird sich in vielen Gebieten nicht mehr in falscher Sicherheit wähnen, sondern bewusst versuchen, mit der bestehenden Unsicherheit vernünftig umzugehen. Wer schliesslich noch verstanden hat, auf welche Prognosen er vertrauen darf, wird mit grösserer Sicherheit entscheiden können und sich auf seinem Weg nicht von dem statistischen Rauschen in der täglichen Medienberichterstattung ablenken lassen.

Nur eine bescheidenere Ökonomie wird nützlich für die Gesellschaft

Genau darum geht es mir in diesem Buch. Ich möchte den Versuch wagen, Ihnen zu vermitteln, auf welche Vorstellungen und Konzepte Sie Ihre Entscheidungen meiner Erfahrung nach abstützen können und welche Behauptungen über die wirtschaftliche Zukunft Sie getrost ignorieren können. Dieses Buch soll also nicht einfach ein weiteres Buch sein, das versucht, über noch einen frisch erfundenen Megatrend oder noch abenteuerlichere Prognosen Ihre Aufmerksamkeit zu wecken. Mit diesem Buch möchte ich ganz einfach versuchen, für eine bescheidenere Ökonomie zu werben. Eine Ökonomie, die dann schweigt, wenn sie nichts zu sagen hat. Aber auch eine Ökonomie, die dann umso lauter auftritt, wenn sich die Diskussion um die wenigen Dinge dreht, bei denen wir tatsächlich wichtige und wertvolle Hinweise geben können.

Zu diesen wertvollen Hinweisen, die die ökonomische Wissenschaft geben kann, gehören auch eine Vielzahl von Beiträgen zu Fragen der Gestaltung von Politik und Gesellschaft, zu denen ich in diesem Buche nichts sagen werde. Ich kann mir gut vorstellen, dass es in diesen Themengebieten der Ökonomie eine ähnliche Problematik der Selbstdarstellung unserer Wissenschaft geben könnte. Mein unzulängliches Wissen über diese Felder der Ökonomie verbietet es mir aber, ein Werturteil über die Arbeiten meiner Kollegen in diesem Bereich zu fällen. Stattdessen konzentriere ich mich in dieser Arbeit auf das Wissen, das für Sie in Ihren wirtschaftlichen Entscheidungen von praktischer Relevanz ist.

Wenn ich von Wissen rede, muss ich mich natürlich beeilen hinzuzufügen, dass diese Art des Wissens im philosophisch engen Sinne immer nur vorläufig ist. Dennoch ist unser Verständnis über volkswirtschaftliche Zusammenhänge und auch über die Grundzusammenhänge an den Finanzmärkten in Teilen so weit entwickelt, dass wir tatsächlich überraschend verlässliche Aussagen über die Zukunft machen können. Ich glaube, dass wir mit einer bescheiden auftretenden Ökonomie gute Hilfestellungen für Ihre wirtschaftlichen Entscheide geben können.

In diesem Sinne sind die folgenden Seiten einer knappen Darstellung dessen gewidmet, was die Ökonomie heute zu einer besseren Einschätzung der gesamtwirtschaftlichen Entwicklung und der Entwicklung der Finanzmärkte beitragen kann. Dabei werde ich versuchen, die Aktualität in meine Darstellung einzubinden, um meine vielleicht sonst zu abstrakt erscheinenden Gedanken greifbarer zu machen. Dass dabei eine hoffentlich adäquate Abbildung der weiteren Entwicklung von Weltwirtschaft und Finanzmärkten entsteht, ist nicht ganz zufällig.

Letztlich geht es in meiner täglichen Arbeit und in diesem Buch um die Schaffung einer belastbaren, empirisch abgestützten Grundlage für konkrete Handlungsempfehlungen für wirtschaftliche Entscheidungen. In Abwandlung eines Zitats des antiken griechischen Staatsmanns Perikles möchte ich mit diesem Buch nicht versuchen, die Zukunft für Sie vorherzusagen, sondern Ihnen helfen, sich besser auf die Zukunft vorzubereiten.

Wachstum

«Es ist nicht unsere Aufgabe, die Zukunft zu prognostizieren,
sondern uns auf sie vorzubereiten.»

Perikles (500–429 v.Chr.)

Wirtschaft – was ist das?

Haben Sie auch schon einmal Menschen über «die Wirtschaft» reden hören? In meinem Beruf bin ich ständig mit diesem Begriff konfrontiert. Häufig werde ich Dinge gefragt wie «Machen Sie sich auch so viele Sorgen um die Wirtschaft?» oder «Wie geht es der Wirtschaft?». In der Politik sind Sätze wie «Das ist gar nicht gut für die Wirtschaft» in den letzten Jahren zum Totschlagargument geworden. Aber wer oder was ist eigentlich «die Wirtschaft»?

In manchen Diskussionen wird «die Wirtschaft» als Synonym für die Unternehmungen verwendet. Da sehen wir «Wirtschaftsvertreter», die mit Arbeitnehmervertretern diskutieren. Nur, sind denn die Arbeitnehmer nicht auch Teil der Wirtschaft? Und was ist mit den Jugendlichen und Kindern oder den Menschen, die ihr Leben der unentgeltlichen Sozialarbeit widmen?

Wachstum ist ein ähnlicher schwammig verwendeter Begriff. Sie alle kennen die meist wenig fruchtbaren Diskussionen, ob Wachstum überhaupt nötig sei, ob wir lieber qualitatives als quantitatives Wachstum anstreben sollen. Was wächst hier eigentlich? Oder was soll wachsen? Und was besser nicht?

Die Wirtschaftswissenschaft hat diese Begriffe schon seit langem versucht genauer zu fassen. Ich denke, dass man das am einfachsten so formulieren kann: Unter Wachstum verstehen wir meist die Zunahme des Einkommens der Bewohner eines Landes. Unter Wirtschaft verstehen wir das System von Produktion und Austausch von Waren und Dienstleistungen. Wirtschaft und Wachstum sind wichtige Themen, die uns auch in diesem Buch beschäftigen werden.

Zentral für das Verständnis dessen, was die Wirtschaftswissenschaft zu diesen Themen zu sagen hat, ist, dass wir Ökonomen unsere Fragestellungen nicht ausschliesslich unter monetären oder ma-

Definition von Wachstum und Wirtschaft

teriellen Aspekten beleuchten, wie es häufig in der Öffentlichkeit dargestellt wird. Selbst die einfachsten ökonomischen Theorien unterstellen nicht, dass der Mensch einfach sein Einkommen maximieren will. Ganz grundsätzlich sprechen wir Ökonomen von einer Nutzenmaximierung als Grundannahme hinter dem von uns am häufigsten gebrauchten, aber nicht einzigen Modell zur Beschreibung ökonomischer Zusammenhänge.

Was einem Menschen Nutzen stiftet, ist aber nicht automatisch mit Einkommen gleichzusetzen, sondern bleibt im Wesentlichen unbestimmt. In dem von vielen Ökonomen grundsätzlich geteilten liberalen Menschenbild soll eben gerade niemand den Menschen erklären, was für sie nun gut sei und was sie zu meiden hätten. Der Mensch kann, darf und soll in einer liberalen Wirtschafts- und Gesellschaftsordnung diese Entscheidung für sich selber fällen.

Nehmen wir meine Familie als Beispiel: Meine Schwester ist Pfarrerin, mein Bruder ist Psychoanalytiker, ich bin Ökonom. Ich bin mir sicher, dass wir nicht nur mit unserer freien Berufswahl sehr glücklich sind, sondern dass wir auch in unserem alltäglichen Leben viele Entscheidungen sehr gerne in Freiheit und Eigenverantwortung sehr unterschiedlich fällen.

Das Motiv, Geld zu verdienen, ist für meine Schwester in ihrer Berufswahl überhaupt kein Thema gewesen. Dennoch erbringt sie heute Dienstleistungen für die Gesellschaft, die für ihre Gemeindemitglieder sehr nützlich sind und ihr selber Befriedigung verschaffen. Ihre Entlohnung richtet sich nicht nach einem Marktlohn, sondern wird im Wesentlichen durch die Gemeindemitglieder anhand ihres persönlichen Bedarfs bestimmt.

Dennoch würde ich als Ökonom den Austausch von Dienstleistung gegen diesen Lohn, für eine hohe Anerkennung und vor allem für die Möglichkeit, etwas Befriedigendes und Sinnstiftendes tun zu können, als eine wirtschaftliche Aktivität bezeichnen. Für meine Schwester gehören in ihre Vorstellung von dem, was für sie wichtig ist, was ihr Nutzen stiftet, ganz offensichtlich nicht nur pekuniäre

Grössen. Ich denke, dass das für meinen Bruder und für mich ähnlich ist. Wahrscheinlich sind es aber unterschiedliche Dinge, die wir in unserem Leben wichtig und richtig finden.

Die Ökonomie mischt sich hier nicht ein. In den einfachsten, den Studenten bereits im ersten Semester vermittelten Theorien wird eben nicht die Maximierung von Geld oder Vermögen beschrieben, sondern es wird untersucht, wie sich Menschen bei teilweise widersprüchlichen Zielen und bei Knappheit der zur Verfügung stehenden Mittel entscheiden. Typisch für ein solches Basismodell der Ökonomie ist die Untersuchung einer Situation, in der die Menschen Konsum und Freizeit nützlich finden, der Konsum aber nur möglich ist, wenn vorher durch Arbeit Einkommen erzielt wird. Arbeit und Freizeit stehen aber, wie viele von uns wissen, in einem gewissen Spannungsverhältnis. Arbeitszeit geht zulasten der Freizeit und umgekehrt.

Es ist hier nicht der Ort, um darzulegen, wie sich Menschen unter der Annahme von vernünftigem Verhalten dann entscheiden werden, welche Entscheidungsregeln sie anwenden und was daraus alles gefolgert werden kann. Wichtig scheint mir an dieser Stelle nur zu betonen, dass Wirtschaft viel mehr umfasst, als diejenigen meinen, die häufig das Wort «Wirtschaft» in ihren Argumentationsketten benutzen. Nutzenmaximierung ist nicht einfach mit Einkommensmaximierung gleichzusetzen. Wer das tut, zeichnet ein verarmtes Zerrbild unserer Wissenschaft.

Gerade vor dem Hintergrund dieser Überlegungen wird deutlich, dass Wirtschaften auch kein Selbstzweck ist. Im Sinne der Ökonomie ist es genau umgekehrt: Die Wirtschaft existiert erst, weil wir Bedürfnisse nach Waren und Dienstleistungen haben, die wir befriedigen wollen. Ein effizientes Wirtschaftssystem schafft es, dass möglichst viele Bedürfnisse auf eine gesellschaftlich akzeptable Art und mit möglichst geringem Ressourcenverbrauch befriedigt werden können. Worin diese Bedürfnisse bestehen, wird von der Ökonomie nicht im Voraus bestimmt. In einem liberalen Wirtschaftssystem ist das ganz allein unsere Sache.

Wachstum und Wohlstand

Ich staune immer wieder, wie viele meiner Kollegen diese Grundlagen unserer Wissenschaft nicht wahrhaben wollen. Wie häufig wird nicht Wirtschaft auf das verengt, was sich in US-Dollar, Franken oder Euro messen lässt. Nehmen wir die Frage nach der wirtschaftlichen Leistungsfähigkeit eines Landes. Diese Frage wird häufig auf die Frage der Grösse und des Wachstums des Volkseinkommens reduziert.

Es besteht kein Zweifel, dass das Volkseinkommen in vielerlei Hinsicht eine sehr wichtige Zahl ist. Zum Beispiel bestimmt die Grösse des Volkseinkommens die Grösse der Absatzmärkte für die Produkte der Unternehmen. Sicherlich stellt das Volkseinkommen auch die Basis dar, auf der der Staat Steuern erheben kann, um seine Ausgaben zu decken.

Betrachten wir zu diesem Thema ein konkretes Beispiel. Ich bin mir sicher, dass die meisten Leser dieses Buchs eine klare Vorstellung davon haben, wie wirtschaftlich leistungsfähig und effizient die Vereinigten Staaten von Amerika und Frankreich in den vergangenen Jahrzehnten gewesen sind. Blicken wir zuerst auf die absolute Höhe des Volkseinkommens, standen im Jahr 2016 den 18 600 Milliarden US-Dollar der Vereinigten Staaten 2400 Milliarden Euro Frankreichs gegenüber. Nimmt man den durchschnittlichen Wechselkurs zwischen Euro und US-Dollar des Jahrs 2016 von 1,12 als Umrechnungswert, kommt man zum Schluss, dass die Vereinigten Staaten also ein siebenmal grösseres Einkommen erwirtschaftet haben. Amerika ist für die meisten Produkte ein deutlich grösserer Markt als Frankreich.

Die Frage nach der wirtschaftlichen Leistungsfähigkeit und Effizienz der betrachteten Volkswirtschaften ist aber mit dieser Zahl nur sehr oberflächlich beschrieben. Immerhin wohnen in den Vereinigten Staaten mit 320 Millionen gut fünfmal mehr Menschen als die 67 Millionen in Frankreich. Aber auch pro Einwohner liegt das Volkseinkommen mit 58 000 US-Dollar in den USA deutlich über den umgerechnet 40 000 US-Dollar Frankreichs. Vielleicht ist dieser Vergleich aufgrund des verwendeten, von zufälligen Marktschwankungen geprägten Wechselkurses nicht ganz statthaft. Ob man aber langfristige Durchschnittswerte, Tageswechselkurse oder eine Form der Kaufkraftparität, die uns später noch beschäftigen wird, nimmt, macht keinen Unterschied. In jedem Fall bleibt das Volkseinkommen pro Kopf in Amerika über dem Wert in Frankreich.

Ob das allerdings auch zu einem höheren Wohlstand für die Menschen führt, ist nicht ganz so deutlich. So versteckt sich hinter diesen Durchschnittswerten doch nicht nur eine sehr unterschiedliche Einkommensverteilung, sondern verbergen sich auch unterschiedliche Steuer- und Abgabensysteme. Auch die Preise für die Lebenshaltung können sehr unterschiedlich sein. Um diesen Unterschieden Rechnung zu tragen, untersucht die Schweizer Grossbank UBS seit Jahren Preise, Löhne und Kaufkraft in den wichtigsten Metropolen der Welt. Auch in diesen Analysen ergibt sich, dass der Lebensstandard in den Vereinigten Staaten über dem in Frankreich liegt. So kann sich eine dreiköpfige Familie mit durchschnittlichem Einkommen in New York einen gut 20 Prozent höheren materiellen Lebensstandard leisten als eine vergleichbare Familie in Paris.

Damit haben wir aber noch nicht geklärt, welche Volkswirtschaft sich dynamischer entwickelt. Auch hier spricht zunächst einiges für die Vereinigten Staaten. Um uns nicht von der Inflation blenden zu lassen, betrachten wir für solche Untersuchungen in der Ökonomie in der Regel inflationsbereinigte Zahlen. Tatsächlich ist in Amerika in den letzten Jahrzehnten das Volkseinkommen auch real deutlich schneller gewachsen als in Frankreich. Nimmt man 1980 als Ausgangspunkt, konnten die Amerikaner das Volkseinkommen um jährlich durchschnittlich 2,6 Prozent steigern. In Frankreich lag dieser Anstieg nur bei 1,8 Prozent pro Jahr. Gemessen am Volkseinkommen scheint die Sache also klar zu sein: Die Vereinigten Staaten sind nicht nur die grössere, sondern auch die dynamischere Volkswirtschaft als Frankreich.

... erst kaufkraft- und steuerbereinigte Werte lassen wirklich Vergleiche zu

Wachstum des Volkseinkommens als Mass für die Dynamik einer Wirtschaft

Dabei gilt es allerdings zu bedenken, dass auch der Bevölkerungsanstieg in den Vereinigten Staaten deutlich grösser war als in Frankreich. Mit anderen Worten haben mehr Menschen zu diesem Anstieg beigetragen und müssen mehr Menschen sich dieses Volkseinkommen teilen. Pro Einwohner ist der Wachstumsvorsprung der Vereinigten Staaten schon ein gutes Stück kleiner. Tatsächlich hat das Volkseinkommen pro Kopf in Amerika um 1,6 und in Frankreich um 1,3 Prozent pro Jahr zugenommen. Damit scheint sich der Lebensstandard der einzelnen Menschen in fast ähnlichem Umfang verbessert zu haben. Der Wachstumsvorsprung beim Einkommen pro Kopf ist damit auf nur noch 0,3 Prozentpunkte geschrumpft.

Wenn wir bei unserer anfänglichen breiteren Definition von Nutzen bleiben, dürfen wir bei einer monetären Betrachtung der Wirtschaftsentwicklung aber natürlich nicht stehen bleiben. Gerade am Thema Arbeitszeit haben sich nämlich über diesen Zeitraum ebenfalls Veränderungen ergeben. So hat ein vollzeitbeschäftigter Franzose 1980 im Schnitt 1823 Stunden pro Jahr gearbeitet. 2016 waren es dagegen nur noch 1472 Stunden, was einem Rückgang von 19 Prozent entsprach. Die Amerikaner arbeiten dagegen heute mit 1783 Stunden nicht einmal 2 Prozent weniger als vor 35 Jahren.

Vor diesem Hintergrund ist die Frage danach, welche Wirtschaft sich in den vergangenen Jahren dynamischer entwickelt hat, deutlich differenzierter zu beurteilen. Pro Arbeitsstunde ist das erzielte Einkommen der Franzosen tatsächlich über diesen Zeitraum mit 1,8 Prozent pro Jahr klar schneller gewachsen als das der Amerikaner, die lediglich einen Zuwachs von 1,6 Prozent erzielen konnten. Den Zuwachs an Einkommen pro Arbeitsstunde nennen wir Ökonomen die Arbeitsproduktivität.

Wachstum des Pro-Kopf-Einkommens als Mass für die Dynamik des materiellen Lebensstandards, aber …

… auch die Menge der Freizeit bestimmt den Lebensstandard

26

Produktivität und langfristiges Wachstum

Produktivität ist die entscheidende Grösse für die Entwicklung un- Letztlich be-
seres Lebensstandards. Langfristig bestimmt der Zuwachs an Pro- stimmt nur unsere
duktivität, wie viel mehr wir uns leisten können und wie viel mehr Produktivität
Freizeit wir geniessen können. Gerade Letzteres scheinen die Fran- unseren Lebens-
zosen zu präferieren. Einen Teil ihres Produktivitätsfortschritts ha- standard
ben sie tatsächlich dazu benutzt, um mehr Freizeit zu beziehen. Um
genau zu sein, sind die geleisteten Arbeitsstunden im Schnitt pro
Jahr um 0,6 Prozent gesunken. Dies ist zum einen über eine Verlänge-
rung der Ferien und zum anderen über eine Verkürzung der Wochen-
arbeitszeit erfolgt. Da die Amerikaner nicht einmal 0,1 Prozentpunkte
ihres Produktivitätsfortschritts für eine Verkürzung der Arbeitszeit
verwendet haben, resultiert, dass die Amerikaner grössere Einkom-
menszuwächse verzeichnen konnten als die Franzosen.

Tabelle 1-1 fasst diese vielen Zahlen noch einmal für Sie zusammen und fügt zum Vergleich die Werte von Deutschland und der
Schweiz hinzu. Bereits die blosse Feststellung, dass Frankreich das
höhere Produktivitätswachstum gehabt hat als die Vereinigten Staaten, wird viele von Ihnen überraschen. Auch mir fällt es immer wieder schwer, das zu akzeptieren, kenne ich doch zum Beispiel die res-

Tabelle 1-1: Leistungsdaten der französischen und US-amerikanischen Wirtschaft
von 1980 bis 2016 (in Wachstumsraten)

	USA	Frankreich	Deutschland	Schweiz
Volkseinkommen	2,6	1,8	1,7	1,8
Bevölkerungswachstum	1,0	0,7	0,2	0,8
Volkseinkommen pro Kopf	1,6	1,2	1,6	1,0
Arbeitsstunden	− 0,1	− 0,6	− 0,1	− 0,2
Produktivität	1,6	1,8	1,7	1,2

triktive Arbeitsmarktregulierung Frankreichs und die ausufernde Bürokratie aus praktischer Erfahrung aus der Perspektive des Arbeitgebers. Auch wenn ich mir eine freiere Wirtschaftsordnung für Frankreich wünschen würde, darf das meinen Blick auf die Realitäten aber nicht verstellen. Als Ökonom muss ich feststellen, dass die französische Art, die Wirtschaft zu organisieren, tatsächlich messbare Erfolge aufweist, die sogar den Vergleich mit denen des Mutterlands des Kapitalismus nicht scheuen müssen.

Dies nüchtern festzustellen, fällt vielen von uns nicht leicht. Bei vielen von uns besteht das Vorurteil, dass Frankreich eine wenig dynamische und wenig effiziente Volkswirtschaft sei. Die Redlichkeit, hier zu widersprechen, sollten eigentlich gerade liberale Ökonomen aufbringen können, fehlt uns doch die ethische Basis, um die kollektive Präferenz der Franzosen für mehr Freizeit als gut oder schlecht zu werten.

Präferenzen für Arbeit und Freizeit können sehr unterschiedlich sein

Für meine Studenten ist die Frage, welche Volkswirtschaft für sie attraktiver ist, interessanterweise weniger ideologisch vorbelastet. Vor die Wahl gestellt, 20 Prozent mehr an materiellem Wohlstand zu haben und dafür 15 Prozent mehr Arbeitsstunden pro Woche und weniger Ferien zu haben, so wie es die Zahlen der UBS für New York und Paris ausweisen, fällt die Wahl der jungen Leute eindeutig auf das Modell mit mehr Freizeit.

Was können wir aus diesen Betrachtungen zum Thema Wachstum mitnehmen? Zunächst einmal, dass der Blick auf das Volkseinkommen nicht alles ist. Für die Bestimmung von Absatzmarktentwicklungen ist das Volkseinkommen massgebend. Der Wohlstand der Menschen und die Leistungsfähigkeit einer Wirtschaft sollten wir aber eher an den Pro-Kopf-Grössen messen. Noch besser sollten wir kaufkraftbereinigte Grössen betrachten.

Schliesslich erkennen wir, dass die zentrale Grösse der volkswirtschaftlichen Entwicklung die Produktivität einer Volkswirtschaft ist. Was immer wir uns leisten wollen, ob Freizeit, Konsum oder aber die Umverteilung von Einkommen zu den wirtschaftlich schwachen Mitgliedern der Gesellschaft, muss erst einmal erwirtschaftet werden. Je mehr wir dabei pro Stunde oder pro Arbeitskraft an Werten schaffen, desto grössere Möglichkeiten haben wir, die wirtschaftlichen Herausforderungen der Zukunft zu meistern und unsere eigenen Wünsche und Vorstellungen zu realisieren.

Wie sich unser Lebensstandard in den kommenden Jahren entwickeln wird, hängt also stark an der Frage der Produktivität. Lassen Sie uns schauen, wie wichtig dieses Produktivitätswachstum quantitativ wirklich ist. Bereits vor über 60 Jahren hat sich in der Ökonomie ein Forschungsprogramm etabliert, das versucht hat, das langfristige Wachstum von Volkswirtschaften zu erklären und prognostizierbar zu machen. Der amerikanische Nobelpreisträger Bob Solow (*1924) hat dazu die Quellen des Wachstums des Volkseinkommens auf drei wesentliche Faktoren reduziert: Volkseinkommen entsteht durch Arbeit, durch den Einsatz von Maschinen, Anlagen und Infrastruktur, kurz Kapital genannt, und eben durch die Entwicklung der Produktivität.

Die Quellen des Wachstums des Volkseinkommens

Zugegeben ist das von Solow entwickelte Modell eine starke Vereinfachung der Wirklichkeit. Dennoch erlaubt es, die Wachstumszusammenhänge nicht nur qualitativ darzustellen, sondern auch einen Eindruck von ihrer jeweiligen quantitativen Bedeutung zu gewinnen. Zu diesem Zweck zerlegt man anhand des Modells das Wachstum in seine Bestandteile. Dazu berechnet man die Wachstumsbeiträge, die die Faktoren Arbeit und Kapital erbringen, und zieht diese von den tatsächlichen Wachstumszahlen ab. Die Restgrösse stellt dann den Beitrag dar, der durch die ansonsten nur schwer messbare Grösse Produktivität erbracht worden sein muss. Eine solche Übung nennen wir Ökonomen Wachstumsbuchhaltung.

Schauen wir einmal mithilfe einer solchen Wachstumsbuchhaltung auf die Quellen des Wachstums in den wichtigsten Volkswirtschaften der letzten 20 Jahre vor der Finanzkrise. Grafik 1-1 gibt den durchschnittlichen Beitrag der drei Einflussgrössen Arbeit, Kapital und Produktivität in den zehn Jahren vor der Finanzkrise wieder.

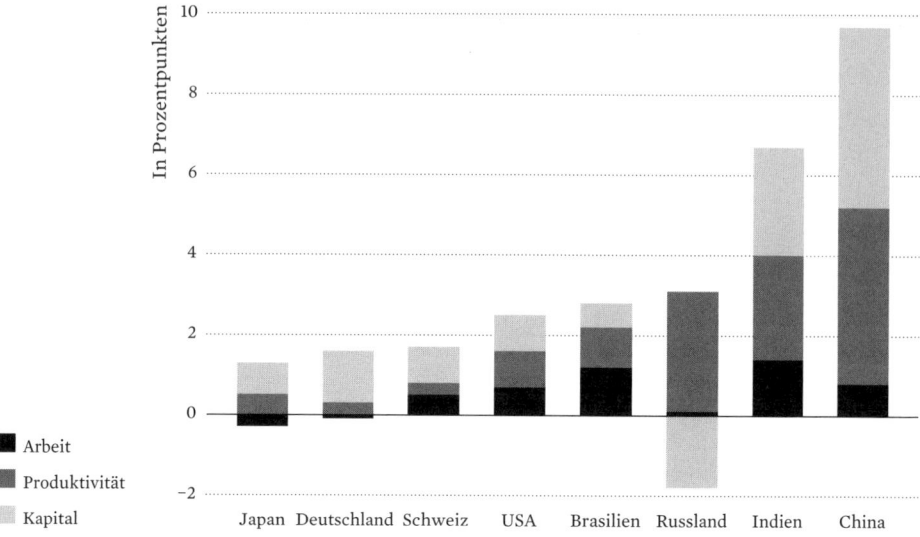

In Prozentpunkten

10

8

6

4

2

0

−2

■ Arbeit
■ Produktivität
▨ Kapital

Japan Deutschland Schweiz USA Brasilien Russland Indien China

Grafik 1-1: Wachstumsbeiträge der Produktionsfaktoren (1997–2006)

Diese einfache Übung erlaubt uns, einige populäre Mythen zur Wachstumsentwicklung in der Weltwirtschaft zu entlarven.

So bestätigt die Grafik den Eindruck, den wir aus dem Anfangsbeispiel erhalten haben, dass sich das Produktivitätswachstum der europäischen Länder, aber auch Japans, mit dem der Vereinigten Staaten durchaus vergleichen lassen kann. Tatsächlich sind die Amerikaner im Vorfeld der Finanzkrise zwar schneller gewachsen als Deutschland oder die Schweiz. Dies lag aber vor allem an den starken Kapitalinvestitionen im Immobilienmarkt und an dem stärkeren Bevölkerungswachstum. Interessant erscheint mir auch, dass das etwas grössere Wachstum der Schweiz im Vergleich zu Deutschland vor allem auf Bevölkerungswachstum zurückzuführen gewesen ist.

Insgesamt wird es viele Betrachter wohl erstaunen, dass die Bedeutung des Faktors Arbeit für das Wachstum im internationalen

Vergleich nicht dominant ist. Das müsste man eigentlich annehmen, wenn man die Diskussionen der letzten Jahre über die Auswirkungen der Überalterung der Gesellschaft wahrgenommen hat. De facto sind die Beiträge der sich wandelnden Demografie auf unser Trendwachstum zwar spürbar, aber quantitativ weniger bedeutend als die Frage nach der Entwicklung der Produktivität oder aber auch nach den Investitionen in die Kapitalausstattung der Wirtschaft.

Damit soll die wichtige Frage nach den Auswirkungen der demografischen Entwicklung nicht verharmlost werden. Gerade weil demografische Faktoren sich träge entwickeln, ist dies ein Bereich, in dem wir Ökonomen viel zur Diskussion beitragen können. So wissen wir bereits heute ziemlich genau, wie viele Menschen in 15 Jahren in den Arbeitsmarkt eintreten werden. Damit verfügen wir über ein Wissen, das uns erlauben sollte, eine Veränderung unserer Institutionen am Arbeitsmarkt und in den Sozialversicherungen rechtzeitig einzuleiten, um unsere soziale Sicherung finanzierbar zu halten. Gleichzeitig sind die Grössenordnungen der Effekte so, dass die Situation für uns bei ausreichendem politischem Willen kontrollierbar erscheint. Dass wir uns damit in den meisten Industrienationen so schwertun, illustriert noch einmal, wie schwer es uns fällt, das wenige Wissen, das wir besitzen, wirklich ernst zu nehmen.

Wenn man die vier Schwellenländer Brasilien, Russland, Indien und China miteinander vergleicht, stellt man schnell einmal fest, dass es zwischen diesen häufig unter der Abkürzung BRIC zusammengefassten Ländern kaum Parallelen in der wirtschaftlichen Entwicklung gibt. Schon die durchschnittlichen Wachstumsraten liegen meilenweit auseinander. China hat mit einem durchschnittlichen Wachstum von 9,7 Prozent über den in Grafik 1-1 dargestellten Zeitraum sein Volkseinkommen verzehnfacht. Russland konnte mit einem Trendwachstum von 1,2 Prozent nur ähnlich tiefe Wachstumsraten wie Japan erreichen und hat sein Bruttoinlandprodukt über den gleichen Zeitraum gerade einmal um einen Drittel steigern können.

BRIC-Staaten sind keine homogene Gruppe

Mindestens genauso eindrücklich ist aber der Blick auf die Treiber des Wachstums. Während Indien und China mit hohen Wachstumsbeiträgen aus der Entwicklung der Produktivität und dem Aufbau ihres Produktivkapitals stark gewachsen sind, sind diese Werte in Brasilien mehr als enttäuschend. Die Russen haben es sogar nicht einmal geschafft, den Verschleiss ihres Kapitalstocks durch ausreichende Investitionen zu ersetzen. Und der beeindruckende Anstieg der Produktivität ist fast ausschliesslich auf den in diesem Zeitraum deutlich ansteigenden Ölpreis zurückzuführen. Bei nüchterner Betrachtung dieser Zahlen staunt wohl selbst der Laie, wie es den Ökonomen der amerikanischen Investmentbank Goldmann Sachs gelingen konnte, eine eigentliche BRIC-Euphorie in den vergangenen Jahren zu entfachen.

Trendwachstum
ist deutlich
gesunken

Natürlich ist es unbefriedigend, dass wir bei diesen Untersuchungen mithilfe der Wachstumsbuchhaltung die Produktivität nur als abgeleitete Grösse betrachten können. Tatsächlich haben die vergangenen Jahrzehnte grosse Anstrengungen in der Wissenschaft gesehen, die Entwicklung der Produktivität besser erklären zu können. Faktoren wie Bildung, die klimatischen Bedingungen eines Landes oder das jeweilige institutionelle Umfeld wurden in die Untersuchung eingeführt. Damit wollte man nicht nur besser verstehen, warum einige Volkswirtschaften sich wirtschaftlich erfolgreicher entwickeln als andere, sondern auch der Wirtschaftspolitik bessere Empfehlungen geben können, um die langfristigen Wachstumsaussichten der Länder zu verbessern.

Ohne auf diese breite und sehr fruchtbare Forschung in diesem Buch eingehen zu können, möchte ich doch auf eine wichtige Bestimmungsgrösse für die Entwicklung der Produktivität hinweisen: Ganz offensichtlich ist es so, dass Volkswirtschaften mit hohen Pro-Kopf-Einkommen nur mit einem tieferen Wachstumsbeitrag der Produktivität rechnen können. Grafik 1-2 zeigt diesen Zusammenhang, indem den Trendwerten für die Wachstumsbeiträge aus Produktivitätssteigerungen das Volkseinkommen pro Kopf gegen-

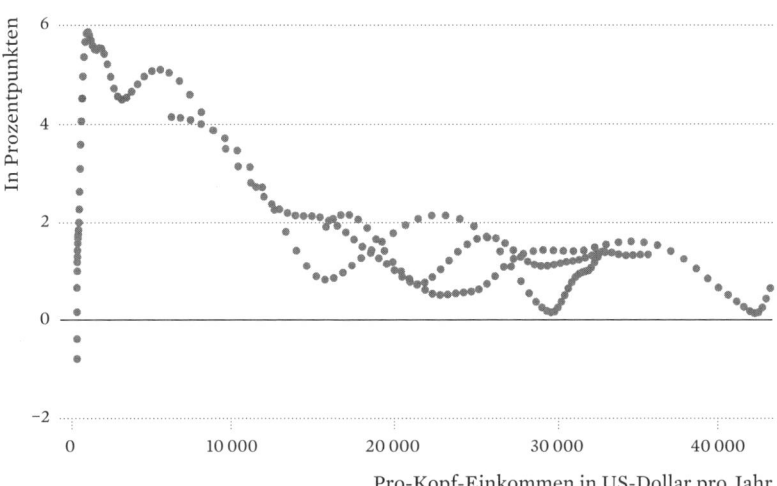

In Prozentpunkten

Pro-Kopf-Einkommen in US-Dollar pro Jahr

Grafik 1-2: Wachstumsbeitrag der Produktivität und Pro-Kopf-Einkommen

übergestellt wird. Dargestellt sind die Daten für die Vereinigten Staaten, China, Japan und Deutschland seit den 1950er-Jahren. Der Trend ist eindeutig, er geht abwärts und das stimmt wenig optimistisch für die Wachstumsmöglichkeiten der Zukunft.

Angesichts dieser eindrücklichen Zahlen erlebe ich immer wieder, dass viele Menschen, denen ich begegne – angeregt durch die nicht endende Literatur zu vermeintlichen neuen Megatrends –, die Einschätzung äussern, dass das alles vielleicht in der jüngeren Vergangenheit gegolten habe, dass aber die Zukunft durch neue Technologien einen deutlichen Schub beim Produktivitätswachstum erleben werde. Manchmal wird dann sogar auf die Theorien der langen Wellen der ökonomischen Entwicklung des russischen Ökonomen Nikolai Kondratieff (1892–1938) zurückgegriffen und behauptet, dass die Produktivitätsentwicklung Zyklen von etwa 50 Jahren Dauer aufweisen würde. Aktuell seien wir lediglich am Tiefpunkt dieses Zyklus angekommen.

Keine Wachstumsimpulse durch neue Technologien

33

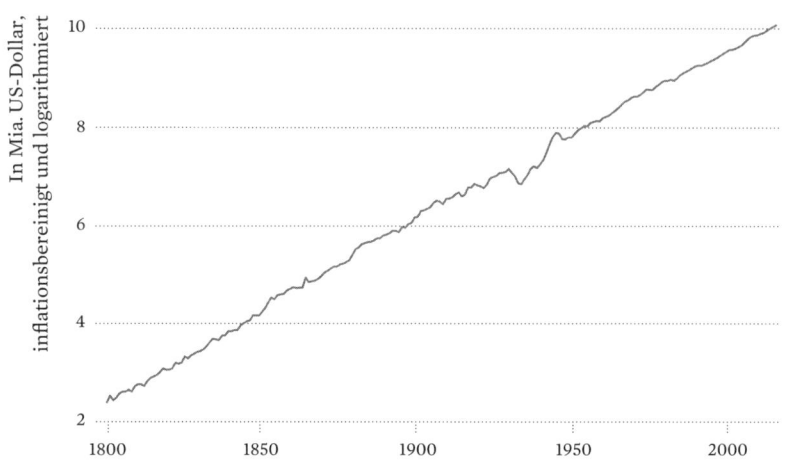

Grafik 1-3: US-Volkseinkommen seit 1800

Ganz ehrlich gesagt, hat mich diese Vorstellung von solchen langen Wellen der Wirtschaftsentwicklung früher auch fasziniert. Ein Blick auf die Daten macht aber schnell deutlich, dass solche langen Wellen der wirtschaftlichen Entwicklung sich nicht in der Einkommensentwicklung widerspiegeln. Neue Technologien sind zwar extrem wichtig für die Entwicklungen von einzelnen Unternehmen und Branchen. Auf die Entwicklung des Volkseinkommens haben sie aber praktisch keinen Einfluss.

Die Grafik 1-3 gibt die Entwicklung des Volkseinkommens der Vereinigten Staaten von Amerika seit dem Jahr 1800 wieder. Ich wähle den Blick auf Amerika, weil wir hier die längsten halbwegs konsistenten Datenreihen besitzen und weil Amerika die wohl erfolgreichste Wirtschaftsnation über diesen Zeitraum war. Im Jahr 1800 war die wirtschaftliche Entwicklung des amerikanischen Kontinents im Vergleich zu den grossen Ökonomien Europas noch rückständig. Glaubt man den Berechnungen des angesehenen empirischen Wirtschaftshistorikers Angus Maddison (1926–2010), dann lag damals das Volkseinkommen der Vereinigten Staaten lediglich bei einem Drittel des Mutterlands Grossbritannien.

Die Entwicklung des amerikanischen Volkseinkommens ist nicht nur in seiner Wachstumsrate beeindruckend, sondern auch in seiner Stetigkeit. Keine Spur von langen Wellen, keine Spur von neuen Technologien: Das US-Volkseinkommen ist fast auf einer geraden Linie gestiegen. Wenn man ganz genau hinschaut, stellt man allerdings fest, dass die Linie im Zeitablauf eine ganz allmählich abnehmende Steigung aufweist. Aufgrund der verwendeten logarithmischen Skala bedeutet dies nicht anderes, als dass das Trendwachstum im Zeitablauf gefallen ist.

Woher es kommt, dass selbst die bahnbrechendsten Innovationen wie die Erfindung von Eisenbahn, Telefon, Fliessbandproduktion, Düngemitteln oder Internet praktisch keine Spuren im Volkseinkommen hinterlassen, ist eigentlich recht einfach zu verstehen. Wir vergessen allzu schnell, dass gleichzeitig mit der Entstehung von neuen auch bestehende Produktionstechnologien verschwinden und Wertschöpfung und Arbeitsplätze vernichtet werden. In der Summe ist dieser wirtschaftliche Wandel zwar genau das, was zu Produktivitätswachstum führt. Die neuen Technologien würden sich nicht durchsetzen, wenn sie nicht prinzipiell effizienter in der Schaffung von Nutzen für die Abnehmer wären. Neben den Gewinnern gibt es aber auch immer Verlierer, die Einkommen und Arbeit einbüssen.

Das Zauberwort zum Verständnis heisst also Verdrängung oder Substitution. Tatsächlich hatte Kondratieff in seiner Arbeit auch nicht, wie viele seiner Anhänger heute meinen, Zyklen in der Entwicklung des Volkseinkommens untersucht, sondern in der Entwicklung von Rohstoffpreisen. Dabei waren wohl die Preise von Eisen, Stahl oder Weizen nichts anderes als die Reflexion einzelner Produktionsverfahren und nicht der gesamtwirtschaftlichen Entwicklung.

Aussenhandel und die sogenannte
Wettbewerbsfähigkeit von Nationen

Ein anderes Missverständnis, dass sich um das Stichwort «Produktivität» entwickelt hat, ist eng verbunden mit der in vielen entwickelten Volkswirtschaften geführten Diskussion um das Thema
«Wettbewerbsfähigkeit». Die übliche Argumentation lautet meist:
Produktivität sei wichtig, weil wir sonst im Wettbewerb mit anderen
Ländern Boden verlieren würden. Das Mantra der «Wettbewerbsfähigkeit» ist in den vergangenen Jahren zum Leitmotiv der Wirtschaftspolitik geworden. Wie wir sehen werden, geschieht das nicht
nur in Ignoranz, sondern in kompletter Verkehrung der tatsächlichen
Zusammenhänge.

Die eigentliche Verwirrung in der öffentlichen Diskussion entsteht dadurch, dass wir das Konzept der Wettbewerbsfähigkeit, das
wir aus dem betriebswirtschaftlichen Kontext kennen und das dort
Gültigkeit hat, auf ganze Volkswirtschaften anwenden. Während
eine Unternehmung, deren Produkte nach Leistung und Preis mit
der Konkurrenz nicht mithalten können, vom Markt verschwindet
und untergeht, ist das bei Ländern natürlich nicht der Fall. Länder
können nicht Konkurs gehen und dann verschwinden. Vielleicht
kann der Staat seine Schulden nicht begleichen, aber die Menschen,
die Infrastruktur, die Maschinen bleiben bestehen.

Häufig wird in dieser Diskussion von den hohen Produktionskosten der industrialisierten Länder geredet und bei jedem Anstieg
dieser Kosten das Schreckgespenst des wirtschaftlichen Untergangs
an die Wand gemalt. Dabei wissen wir, dass es bei uns nur wenige
Dinge gibt, die nicht irgendwo auf der Welt mit gleicher Qualität
billiger produziert werden könnten. Der Schlüssel zum Verständnis
dieses Phänomens ist, dass Länder eben nicht im Wettbewerb miteinander stehen. Es gibt keine Gewinn- und Verlustrechnung einer
Volkswirtschaft. Wer meint, ein positiver Handelsbilanzüberschuss
sei das Äquivalent zum betriebswirtschaftlichen Gewinn, hat die

Entwicklung des volkswirtschaftlichen Wissens zu diesem Thema der letzten 275 Jahre verpasst.

In der Mitte des 18. Jahrhunderts ist durch die Arbeiten von Jacques Vincent de Gournay (1712–1759) und David Hume (1711–1776) die Erkenntnis gereift, dass Aussenhandel kein Nullsummenspiel ist, bei dem das eine Land zuungunsten des anderen Landes gewinnt, wenn die Exporte grösser sind als die Importe. Seitdem zu Beginn des 19. Jahrhunderts David Ricardo (1772–1823) am Beispiel von England und Portugal aufgezeigt hat, dass Aussenhandel auch zwischen zwei Ländern entsteht, wenn in einem Land alles mit niedrigerem Aufwand produziert werden kann, wissen wir, welche Rolle der Produktivität im Aussenhandel zukommt. Tatsächlich führt Aussenhandel dazu, dass Länder sich auf die Produktion der Waren und Dienstleistungen konzentrieren können, bei denen sie die höchste Produktivität im Vergleich der inländischen Branchen untereinander aufweisen.

Aussenhandel schafft Anreize, sich auf die Dinge zu spezialisieren, die man im eigenen Land am besten herstellen kann, und diese dann zu exportieren. Die Dinge, bei denen man weniger effizient produzieren kann, kauft man im Ausland ein. Durch die Konzentration auf das, was man am besten kann, steigt die durchschnittliche Produktivität einer Volkswirtschaft, lässt man doch andere Dinge, bei denen man weniger effizient ist, sein. Damit ist gestiegene Produktivität eine Folge von Aussenhandel und nicht dessen Voraussetzung.

Hier ein Beispiel: Warum ist in der Schweiz in den vergangenen Jahrzehnten ein so grosser Finanzsektor entstanden? Nicht, weil die Schweiz so viel bessere Finanzdienstleistungen als andere Finanzplätze anbietet, und auch nicht, weil Schweizer Banker im internationalen Vergleich wenig verdienen. Der Schweizer Finanzplatz ist schlichtweg so schnell gewachsen, weil die Produktivität der Schweizer Finanzdienstleister so viel höher war als die Produktivität in anderen Schweizer Branchen. Die Zahlen des Schweizer

Aussenhandel führt zu höherer Produktivität

Finanzsektors sind beeindruckend. So liegt der Anteil von Banken, Versicherern und übrigen Dienstleistern dieses Sektors aktuell bei gut 13 Prozent der Gesamtwertschöpfung der Schweizer Wirtschaft. Möglich ist dies, weil die Produktivität des Sektors mehr als dem Doppelten der durchschnittlichen Produktivität eines Schweizer Beschäftigten entspricht. Dieser Produktivitätsfortschritt ist vor allem in den Jahren 1980 bis 2000 entstanden. In der Folge hat sich der Anteil des Sektors an der Gesamtwirtschaft verdoppelt, und der Anteil der Beschäftigten in der Branche ist deutlich gestiegen.

Unterschiede der Produktivitäten der Branchen im Inland bestimmen Produktions- und Handelsstruktur

Sicherlich erklärt sich durch diese ökonomische Sichtweise des Aussenhandels auch die in der Schweiz über Jahrzehnte hinweg geführte Diskussion über die Interessengegensätze zwischen Werk- und Finanzplatz. Der Gegensatz zwischen den Sektoren ist tatsächlich real. Banken und Industrieunternehmen stehen miteinander im Wettbewerb um talentierte Mitarbeiter und Investitionskapital.

Dieses Wissen erlaubt uns auch, Aussagen über die zukünftige Entwicklung zu machen. So wissen wir bereits heute, dass sich die Produktivität des Bankensektors nur schwerlich in ähnlichem Umfang wie bisher weiter steigern lassen wird. Zu gross sind die Anforderungen der neuen Regulierung der Branche und die Auswirkungen der Steuertransparenz auf die Profitabilität der Vermögensverwaltung, als dass man nicht erwarten müsste, dass die relative Produktivität des Finanzsektors schrumpfen wird. Damit ist klar, dass der Schweizer Finanzsektor in den kommenden Jahren relativ zu den anderen Branchen an Bedeutung verlieren wird.

Mit dieser Relativierung des Themas «Wettbewerbsfähigkeit» für den Aussenhandel müsste eigentlich auch die Bedeutung des Themas in der Wirtschaftspolitik zurückgestuft werden. Standortattraktivität ist wichtig in Bezug auf die gesamte Wirtschaft und nicht nur in Bezug auf die Exportunternehmen. Statt also dem heiligen Gral der Wettbewerbsfähigkeit hinterherzulaufen, müssten wir alles unternehmen, damit Binnen- und Exportwirtschaft produktiver werden können.

Trendwachstum der Zukunft

Wie zentral diese Frage der weiteren Produktivitätsentwicklung ist, wird noch deutlicher, wenn man versucht, den Blick in die Zukunft zu richten. Seit Gründung unserer Unternehmensberatungsfirma vor acht Jahren verwenden wir ein auf den Arbeiten von Bob Solow aufbauendes langfristiges Wachstumsmodell für die Abschätzung dessen, was für unsere Kunden an Marktwachstum möglich ist. Dabei geht es also nicht um die Schätzung des Wachstums in den nächsten ein bis zwei Jahren. Das Auf und Ab der jährlichen Wachstumsraten, das wir normalerweise als Konjunkturzyklus bezeichnen, steht nicht im Mittelpunkt dieser Überlegungen. Wir wollen mit diesen Schätzungen versuchen zu bestimmen, was im Schnitt in den kommenden Jahrzehnten an Wachstum möglich ist. Die so bestimmte Grösse wird auch häufig Trendwachstum genannt.

Langfristig entsteht Einkommen durch Arbeit, Kapital und technischen Fortschritt

Wir meinen, dass das Wissen über die langfristige Entwicklung des Volkseinkommens tatsächlich zu dem Wenigen an Wissen gehört, das sehr hilfreich ist, uns und unsere Kunden auf die Zukunft vorzubereiten. Im Vergleich zu den üblicherweise viel Aufmerksamkeit findenden Konjunkturprognosen sind die Prognosefehler dieser Modelle erstaunlich niedrig. Vielleicht ist eine Bestandsaufnahme der Qualität unserer eigenen Berechnungen zu diesem Thema noch ein wenig verfrüht. Immerhin sollten die geschätzten Wachstumsraten ja den Durchschnitt der wirtschaftlichen Entwicklung über einen Zyklus angeben, und in vielen Ländern ist in den vergangenen acht Jahren der Zyklus noch nicht abgeschlossen. Dennoch meinen wir, dass ein Blick auf Erwartung und Realisation der weltwirtschaftlichen Wachstumszahlen uns darin bestätigt, langfristige Wachstumsschätzungen als ein wertvolles ökonomisches Instrument zu betrachten.

In unserer Anfang 2010 erschienenen Studie zum langfristigen Wachstumsausblick hatten wir darauf hingewiesen, dass nach unserer Einschätzung die chinesische Volkswirtschaft in diesem Jahr-

Trendwachstum wird noch weiter sinken

zehnt nur mit einem durchschnittlichen Wachstum von 6,2 Prozent und im kommenden Jahrzehnt von sogar nur noch 4,3 Prozent rechnen dürfte. Nach den in den vergangenen Jahrzehnten beobachteten Wachstumsraten von 10 Prozent und mehr hat das bei dem einen oder anderen Kunden von uns Zweifel an unserem Sachverstand ausgelöst. Dieser Wachstumspfad hat für die vergangenen fünf Jahre ein durchschnittliches Wachstum von 6,8 Prozent impliziert. Tatsächlich waren es nach den offiziellen chinesischen Statistiken 7,6 Prozent, wobei wir damit rechnen müssen, dass die Chinesen uns wohl etwas mehr an Wachstum gemeldet haben, als tatsächlich stattgefunden hat.

Auch für die Vereinigten Staaten haben wir die Erwartung geäussert, dass die Trendwachstumsraten deutlich fallen werden. Umgerechnet auf die letzten fünf Jahre wären es 2,4 Prozent gewesen. Tatsächlich schafften die Amerikaner allerdings nur 2,0 Prozent, und das, obwohl sich das Land kontinuierlich im Aufschwung befand. Für Deutschland hatten wir 1,3 Prozent erwartet, und es sind 1,6 Prozent geworden. Für die Schweiz sollten 1,5 Prozent resultieren, was trotz Frankenstärke auch der Fall war.

Obwohl unsere Prognosen damals von vielen als zu pessimistisch bezeichnet wurden, müssen wir feststellen, dass wir in der Mehrzahl aller Fälle das Wachstum sogar leicht überschätzt haben. Das mag daran liegen, dass wir unsere Prognosen mit relativ optimistischen Annahmen berechnet haben. Damals wollten wir damit zeigen, dass unsere Erwartung tiefen weltwirtschaftlichen Wachstums sehr robust gegenüber den verwendeten Annahmen ist. Daran hat sich auch heute nichts geändert. Im vergangenen Jahr haben wir nochmals ein Update unserer Prognosen vorgenommen. Auch die um die Jahre 2010 bis 2014 gewachsene Datenbasis hat nicht dazu geführt, dass wir unsere Prognosen für die Zukunft stark verändern mussten.

Ich denke, dass solche Prognosen für das langfristige Wachstum der Volkswirtschaften dementsprechend sehr wertvolle Hinweise für die weitere wirtschaftliche Entwicklung liefern. Nicht nur können wir anhand dieser Zahlen die mutmassliche Entwicklung von Absatzmärkten für Unternehmen und des materiellen Lebensstandards der Menschen besser erahnen. Das langfristige Wachstum gibt auch vor, wie stark die Unternehmensgewinne oder Mieten in den kommenden Jahren wachsen können. Wie wir später sehen werden, sind das entscheidende Grössen für die Bestimmung des Werts unserer Finanzanlagen.

Bevor wir anhand der von uns errechneten Werte einen Blick in die Zukunft wagen, ist es wichtig, kurz etwas über die den Berechnungen zugrunde liegenden Annahmen zu sagen. Zusätzlich zu den drei treibenden Faktoren für das Wachstum, die Bob Solow in seiner grundlegenden Arbeit als die Entwicklung des Arbeitsvolumens, des Kapitals und der Produktivität identifiziert hat, haben wir einen weiteren Faktor aus der neueren Wachstumsforschung, die Entwicklung des Bildungsstands einer Gesellschaft, eingeführt.

Die Entwicklung des Arbeitsvolumens schätzen wir anhand der demografischen Projektionen der Uno und der Annahme, dass sich das Arbeitsvolumen parallel mit der Entwicklung der Alterskohorten 15 bis 64 entwickeln wird. Für die Entwicklung des Produktivkapitals nehmen wir an, dass sich langfristig die Sparquote eines Landes an der eigenen Historie orientiert und ein konstanter Anteil der Maschinen und Anlagen sowie der Infrastruktur aufgrund von Verschleiss ersetzt werden muss. Schliesslich nehmen wir an, dass die Entwicklung der Produktivität und des Bildungsstands in allen Ländern dem historischen Muster der erfolgreichsten Volkswirtschaften folgt. Wenn Sie so wollen, widerspiegelt unsere Prognose damit wiederum ein optimistisches Szenario der weltwirtschaftlichen Entwicklung. Ist es doch gar nicht so wahrscheinlich, dass alle betrachteten Volkswirtschaften in der Zukunft so erfolgreich sein werden wie die erfolgreichsten der Vergangenheit.

Grafik 1-4 gibt das Wachstum der wichtigsten Volkswirtschaften seit dem Jahr 2000 und die von uns erwarteten durchschnittlichen

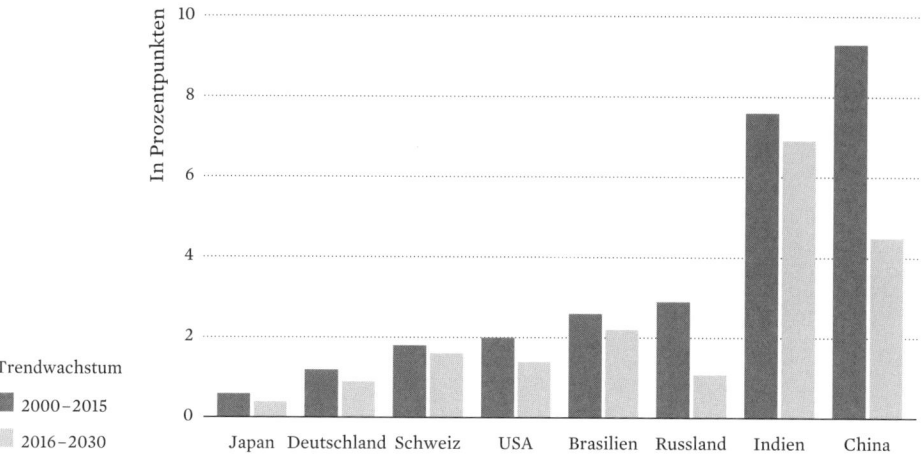

In Prozentpunkten

Japan   Deutschland   Schweiz   USA   Brasilien   Russland   Indien   China

Grafik 1-4: Langfristiges Wachstum

Wachstumsraten für die kommenden 15 Jahre wieder. Schon der erste Eindruck vermittelt bereits eine wichtige Erkenntnis: Selbst unter den von uns getroffenen optimistischen Annahmen resultiert, dass die Weltwirtschaft auch in den kommenden Jahren weiter an Trendwachstum verlieren wird. Die bereits angesprochene Wachstumsverlangsamung Chinas, der Vereinigten Staaten und auch der europäischen Staaten bestätigt sich. China wird nach unseren Schätzungen in den kommenden 15 Jahren im Schnitt mit gut 4,5, die Vereinigten Staaten mit 1,4, Deutschland mit knapp 1,0 und die Schweiz mit 1,6 Prozent wachsen können.

Tieferes Trend-
wachstum bedeutet
aber nicht
steigende
Arbeitslosigkeit

Wichtig ist, zu verstehen, dass diese Erwartung nicht impliziert, dass die tiefen Wachstumsraten zu einer Unterauslastung von Kapazitäten in der Industrie oder steigender Arbeitslosigkeit führen werden. Im Gegenteil, diese Wachstumszahlen resultieren bei Vollbeschäftigung und Normalauslastung der Kapazitäten. Die tieferen Wachstumsraten spiegeln ganz einfach die schwächere demografi-

42

sche Entwicklung und die Tatsache wider, dass Volkswirtschaften mit höheren Einkommen nur noch langsamer wachsen können.

Für viele Unternehmen ist das eine wichtige Botschaft. Wachstum der Absatzmärkte ist wahrscheinlich, aber auf ganz natürliche Art wird sich dieses Wachstum verlangsamen. Dabei sind die absoluten Beträge des Marktwachstums immer noch bedeutend. Ein Wachstum von 5 Prozent in China bedeutet einen gleich grossen absoluten Anstieg des Volkseinkommens wie das Wachstum von 10 Prozent vor ungefähr zehn Jahren. Die Entwicklung bleibt also rundweg positiv, wenn man nicht in der Annahme hoher Wachstumsraten zu grosse Kapazitäten geschaffen hat.

Auch sollte der materielle Wohlstand der Bevölkerung weiter zunehmen können. Hinter den bereits genannten Wachstumszahlen für das Volkseinkommen verbergen sich ja noch die Zahlen zur Bevölkerungsentwicklung. Pro Kopf sollte das Wachstum in vielen europäischen Ländern sogar besser aussehen als die 0,7 Prozent, die bei uns für die Vereinigten Staaten zu Buche stehen. Dahinter steht natürlich zum einen das höhere mittlere Pro-Kopf-Volkseinkommen der Amerikaner heute, aber auch eine schwächere Produktivitätsentwicklung und eine schwache Ersparnisbildung, die zu niedrigeren Investitionen in das Produktivkapital des Landes führen wird. Selbst die Japaner, für deren Volkswirtschaft wir nur noch ein Trendwachstum von 0,4 Prozent erwarten, sollten pro Kopf betrachtet mit 0,9 Prozent ein höheres Wachstum als die Amerikaner sehen. Dies aber natürlich nur dann, wenn ihnen nicht vorher die rapide ansteigende Schuldenlast einen Strich durch die Rechnung macht.

Die grossen Gewinner dieser Entwicklung bleiben aber die Menschen in den Schwellenländern. In China und Indonesien rechnen wir mit mehr als 4 Prozent Pro-Kopf-Wachstum. In Indien sollten es sogar über 5 Prozent sein können. In Südafrika, Nigeria, der Türkei oder dem Iran rechnen wir mit 2,5 bis 3,0 Prozent Wachstum. Auch wenn wir in unseren Annahmen ein wenig zu optimistisch sein soll-

Einkommenszunahme in den sich entwickelnden Ländern setzt sich fort

ten, sprechen die Zahlen eine eindeutige Sprache. Für Hunderte von Millionen von Menschen werden sich die materiellen Lebensumstände auch in den kommenden Jahrzehnten weiter verbessern.

Insgesamt ist der Blick nach vorne für das Wachstum der Volkswirtschaften aber auch ernüchternd. Wenn ein optimistischer Ausblick bereits so tiefe Zahlen liefert, wird deutlich, dass die Vorstellung, dass wir auch nur annähernd an die Wachstumsraten der letzten Jahrzehnte anschliessen können, eine Utopie ist. Die erste grosse, wichtige Erkenntnis, die uns die Ökonomie zur Frage des zukünftigen Wachstums liefert, ist also: Die Wachstumsraten der Zukunft werden mit grösstmöglicher Wahrscheinlichkeit deutlich unter den Wachstumsraten liegen, die wir in unserem Leben bisher bewusst erfahren durften. Punkto Wachstum liegt das Beste also bereits hinter uns.

Damit ist der Ausblick aber nicht wirklich besorgniserregend. Dennoch bin ich immer wieder erstaunt, wie sehr die Ökonomenszene beim Thema Wachstum hyperventiliert. Anstatt einen Blick auf die uns lange bekannten Wachstumszusammenhänge zu werfen, werden die aktuellen Wachstumsraten eben doch mit denen der letzten Jahrzehnte verglichen. Wir geben uns offensichtlich viel Mühe, uns eigentlich bekanntes Wissen nicht wahrhaben zu wollen. Leider ist das nicht in jedem Fall nur naiv. Manch einer meiner Kollegen kann wohl auch der Versuchung nicht widerstehen, über das Schüren von Wachstumsängsten ideologische oder politische Ziele zu befördern.

Wachstumssorgen werden für ideologische Politikempfehlungen missbraucht

Wie wir gesehen haben, braucht es keine neuen, marktschreierisch vorgetragenen Horrorszenarien, um die mageren Wachstumsraten der Weltwirtschaft zu erklären. Wer aber meint, dass das aktuelle Wachstum hinter seinem Potenzial zurückbleibe, ist geneigt, eine staatsinterventionistische Wirtschaftspolitik zu propagieren. Das mag man ideologisch befürworten oder nicht. Wenn aber die Diagnose falsch ist, wenn die aktuell tiefen Zahlen in erster Linie ein tieferes Trendwachstum reflektieren und nicht eine Nachfrageschwäche, wie aktuell viele populäre Ökonomen meinen, dann kann die verordnete Medizin erhebliche Nebenwirkungen haben.

Statt die wirtschaftspolitischen Massnahmen auf produktivitäts-fördernde Veränderungen der Rahmenbedingungen des Wirtschaftens zu fokussieren, werden in solchen Situationen regelmässig Massnahmen vorgeschlagen, die einseitig die Nachfrage stimulieren sollen. So stand in der jüngeren Vergangenheit bei jedem Anzeichen von Wachstumsschwäche immer wieder die Forderung im Raum, die Zentralbanken mögen die Zinsen senken, damit Unternehmen die Investitionen und private Haushalte den Konsum steigern. Die Folge davon sind extrem stark steigende Geldmengen und ein ungebremster Anstieg der Verschuldung gewesen. Sehr niedrige Kapitalmarktzinsen und künstlich verteuerte Preise auf den Märkten für Finanzanlagen sind ebenfalls das Resultat dieser Wirtschaftspolitik. Die gewünschte Wachstumswirkung haben diese Massnahmen aber nicht gebracht. Schlimmer noch: Um im Wesen zyklische Probleme zu bekämpfen, werden immer weiter strukturell kaum mehr lösbare Probleme für die Zukunft geschaffen.

Bestes Beispiel hierfür scheint die Entwicklung in China zu sein. Dem deutlichen Rückgang der chinesischen Trendwachstumsraten hat sich die chinesische Wirtschaft seit den 1990er-Jahren mit aller Macht versucht zu widersetzen. Hauptmittel, um die Wachstumsraten hoch zu halten, war eine deutliche Ausweitung der Investitionen durch den Staat und durch staatsnahe Betriebe. Durch den dadurch ausgelösten rapiden Anstieg der Produktionskapazitäten und die enorme Verbesserung der Infrastruktur konnte die chinesische Volkswirtschaft ihre hohen Wachstumsraten in der Folge noch bis zur Finanzkrise 2007/08 aufrechterhalten.

Einmal geschaffene Produktionskapazitäten müssen mit der Zeit aber auch erneuert werden. Durch Verschleiss und durch den unaufhaltsamen Fortschritt der Produktionstechnologie entsteht bei steigender Produktionskapazität ein steigender Bedarf an Ersatzinvestitionen. Um weiter so schnell wachsen zu können wie in den vergangenen Jahren, bedurfte es also eines ständig wachsenden Anteils der Investitionen am Volkseinkommen. Aber natürlich lässt sich der Anteil der Investitionen am Volkseinkommen nicht ewig weiter steigern, denn sonst bliebe für den privaten Konsum und die Staatsausgaben irgendwann kein Raum mehr.

Tatsächlich hat die chinesische Regierung ihre Prioritäten mit dem 12. Fünfjahresplan für die Periode 2011 bis 2015 auch angepasst und im 13. Fünfjahresplan für die Periode bis 2020 bestätigt. Nun ist der Übergang von einem investitionsgetriebenen Wachstum zu einem konsumgetriebenen Wachstum geplant. Ein Übergang, der in mehrerlei Hinsicht nicht ganz einfach ist. So gilt es, in kürzester Zeit eine veränderte Infrastruktur für die Güterverteilung der Konsumgüter aufzubauen. Der jahrzehntelang vernachlässigte Dienstleistungssektor muss entwickelt werden. Diese Veränderungen haben in anderen erfolgreichen Schwellenländern jeweils zu einer mehrjährigen Konjunkturkrise geführt.

Peak Investment macht China noch Jahre zu schaffen Wir nennen diesen Effekt Peak Investment, weil die Umorientierung der Wirtschaftspolitik dazu führt, dass der Anteil der Investitionen am Volkseinkommen nicht mehr steigt, sondern sogar beginnt, rapide auf seinen langfristigen Normalwert zu fallen, was konjunkturell schwer zu verkraften ist. Grafik 1-5 stellt die durchschnittliche historische Entwicklung der Konjunktur von Japan, Südkorea, Hongkong, Singapur und Taiwan um diesen Wendepunkt der wirtschaftspolitischen Orientierung dar. Diese Länder zeichnen sich durch einen verblüffend ähnlichen Entwicklungspfad wie China aus. Über viele Jahre ist dort das Volkseinkommen aufgrund einer steigenden Investitionsquote stürmisch gewachsen, um dann nach dem Investitionshöhepunkt deutlich tiefere Trendwachstumsraten zu erleben.

Wiedergegeben ist die Auslastung der volkswirtschaftlichen Kapazitäten vor und nach dem Jahr, in dem die Investitionsquote ihren Höhepunkt erreicht hat. Man sieht deutlich die auch in China feststellbare Überauslastung der Wirtschaft vor dem Wendepunkt. Da-

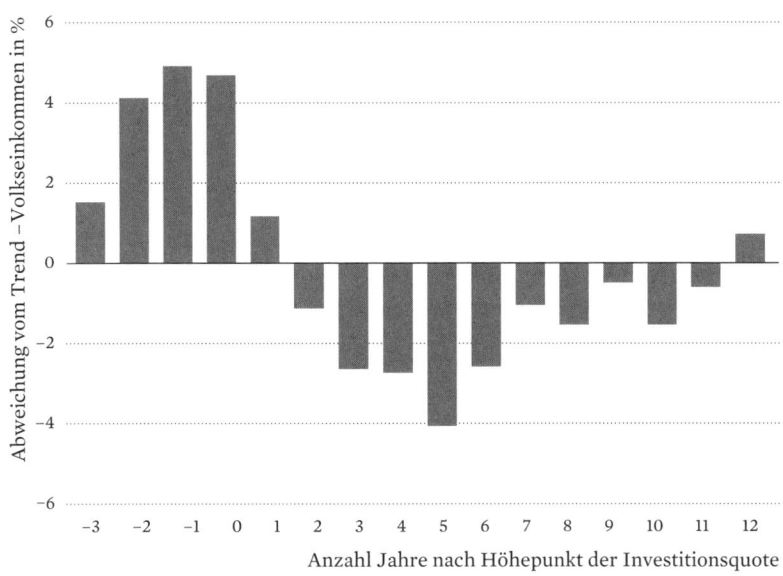

Grafik 1-5: Peak-Investment und Konjunktur

nach ist die Wirtschaftsaktivität für mehrere Jahre sehr stark von tieferen Wachstumsraten geprägt gewesen. Mit anderen Worten: Die Volkswirtschaften sind deutlich langsamer als ihre bereits fallenden Trendwachstumsraten gewachsen, und es ist jeweils zu einer tiefen Rezession gekommen.

Seit 2013 fallen nun die Investitionsquoten in China. Von einer eigentlichen Rezession scheinen uns die offiziellen chinesischen Statistiken allerdings nicht zu berichten. Neben einer schönfärberischen Berichterstattung über das Wachstum liegt das vor allem daran, dass die chinesische Regierung alles unternimmt, um eine Rezession zu vermeiden. Mit einer für ein Schwellenland einmaligen Expansion des Kreditvolumens werden die Wachstumszahlen künstlich hoch gehalten. Die Folge ist aber ein unaufhaltsamer Anstieg der Gesamtverschuldung. Noch nie war ein grosses Schwellen-

China mit Rekordverschuldung

land zu einem so frühen Zeitpunkt seiner Entwicklung so verschuldet wie China heute.

Wie es in China weitergehen wird? Wir meinen, dass es ähnlich wie in der anfänglich beschriebenen Situation Japans zu früh ist, um eine Wirtschaftskrise als unmittelbar bevorstehend vorherzusagen. Dennoch wird klar, dass Chinas Wirtschafts- und vielleicht auch Gesellschaftssystem in den kommenden Jahren auf eine harte Probe gestellt werden wird. Ganz offensichtlich tut sich die Regierung schwer damit, den Kontrollverlust, den ein Übergang von einem investitions- zu einem konsumgetriebenen Wachstum impliziert, zu akzeptieren. Die Investitionen der grossen, zum Teil immer noch staatlichen Unternehmen lassen sich eben einfacher lenken als die Konsumentscheidungen von 1,3 Milliarden Chinesen.

Tieferes Trend-
wachstum
kann nicht mit
Konjunkturpolitik
bekämpft werden
Zusammengefasst können wir also festhalten, dass wir damit rechnen müssen, dass sich der Trend zu strukturell tieferen Wachstumsraten der Weltwirtschaft in den kommenden Jahren fortsetzen wird. Unsere Wirtschaftspolitik muss diese Wachstumsverlangsamung ernst nehmen, kann sie aber nur begrenzt bekämpfen. Das Zauberwort für die Frage, wie viel Wohlstand und wie viel Verteilungsspielraum wir in Zukunft haben werden, bleibt das Wort Produktivität. Mit nachfragestimulierenden Politikmassnahmen sollten wir eher zurückhaltend sein. Die haben lediglich dann Sinn, wenn sich die Konjunktur in einer Rezession befindet. Davon ist aktuell in den meisten Industrienationen aber noch nichts zu erkennen. Umso bedenklicher erscheint, dass die Geldpolitik praktisch weltweit immer noch äusserst expansiv eingestellt ist und auch die Staatsverschuldung in vielen Ländern immer neue Rekordstände erreicht.

Beunruhigend mutet aber nicht nur die Ungeduld der Wirtschaftspolitik mit den tieferen Wachstumsraten an. Auch die Wertung von marktkritischer Seite, dass die tieferen Wachstumsraten letztlich das Versagen des Kapitalismus beweisen würden, erscheint fehl am Platz. In dem Masse, wie die Wachstumsraten sinken, weil die Pro-Kopf-Einkommen steigen, erscheint eher die gegenteilige

Interpretation angebracht. Um im Sprachgebrauch der Kapitalis-
muskritiker zu bleiben: Kapitalismus und Globalisierung haben in
den vergangenen Jahrzehnten dazu geführt, dass die Pro-Kopf-Einkommen von mehreren Milliarden Menschen erheblich gestiegen
sind, und das wird sich zum Glück in den kommenden Jahren fortsetzen.

Konjunktur

Während wir also über die langfristige Wachstumsentwicklung als
Ökonomen relativ viel wissen, ist unsere Fähigkeit, das Wachstum
in der kurzen Frist zu prognostizieren, leider sehr beschränkt. Das
ist umso erstaunlicher, wenn man bedenkt, wie meine Zunft in der
Öffentlichkeit wahrgenommen wird. Denken nicht viele Menschen
unwillkürlich bei dem Stichwort Ökonomie an Konjunkturprognosen, an Institutionen wie das Ifo-Institut oder an die Konjunktur-
forschungsstelle der ETH in Zürich?

Auch in meiner früheren Rolle bei der Bank gehörte es zu den
wichtigen Aufgaben, das konjunkturelle Wachstum zu prognostizieren. Ein wiederkehrendes Ritual war dabei die Herbstprognose,
die wir damals jeweils an einer Medienkonferenz der Öffentlichkeit
vorstellten. Es ging um den im Spätsommer erstellten Ausblick für
das Wachstum des kommenden Jahrs.

In unserer Beratungsfirma haben wir uns entschieden, diesem
Thema keinen Raum mehr zu geben. Die Nachfrage der Kunden
nach Prognosezahlen ist zwar immer noch hoch, aber wir haben
unseren Glauben an die Werthaltigkeit dieser Art der Konjunkturprognosen verloren. Das liegt schlicht und einfach an der mangelnden Prognosefähigkeit, die wir Ökonomen überhaupt in diesem Bereich haben.

Grafik 1-6 gibt die Ergebnisse von zwei wissenschaftlichen Untersuchungen und unsere eigenen Erkenntnisse zu diesem Thema

*Konjunktur-
prognosen sind
meist wertlos*

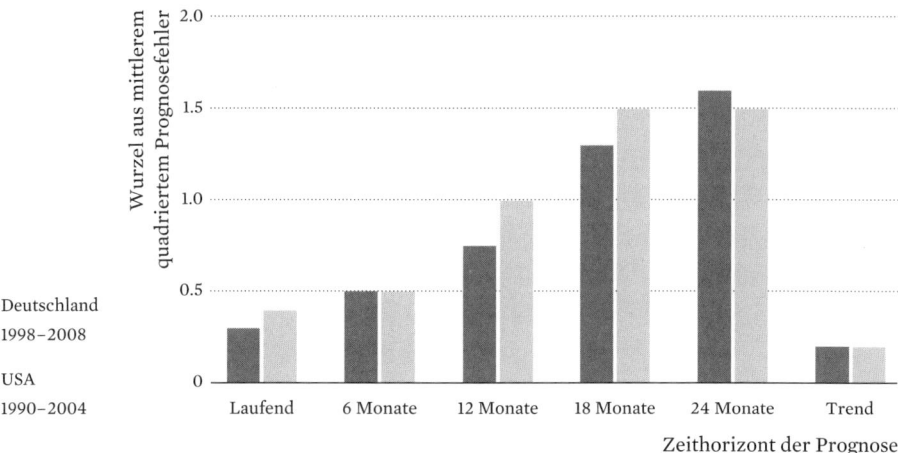

Grafik 1-6: Prognosefehler von Wachstumsprognosen

wieder. Das Ziel dieser Analysen war es, zu schauen, wie gross die Prognosefehler im Rahmen der Konjunkturprognose eigentlich sind. Zu diesem Zweck haben die Wissenschaftler die Vorhersagen der wichtigsten Prognostiker in den Vereinigten Staaten und in Deutschland mit der tatsächlichen Entwicklung verglichen. Nach meiner Erfahrung sind die Zahlen für andere Industrienationen wie Österreich oder die Schweiz sehr ähnlich.

Bei der Beurteilung von Prognosefähigkeit spielt der Zeitraum, über den die Prognosen abgegeben werden, offensichtlich eine wichtige Rolle. Betrachtet man die Grafik genau, stellt man fest, dass die Prognosefehler über die Frage des aktuellen Wachstums und die Entwicklung der kommenden ein bis zwei Quartale relativ klein sind. Am grössten sind die Prognosefehler für Prognosen für das Wachstum über 18 bis 24 Monate.

Wie fragwürdig das Ritual der Herbstprognose ist, wird aber erst richtig deutlich, wenn man sich die Grösse der Prognosefehler vor Augen führt. Die dargestellte Grösse von 1,5 Prozentpunkten als

Wurzel des mittleren quadrierten Prognosefehlers wird den meisten Lesern nicht viel sagen. Übersetzt bedeutet diese Zahl, dass das tatsächliche Wachstum mit zwei Drittel Wahrscheinlichkeit in einem Korridor von plus minus 1,5 Prozentpunkten um den Prognosewert liegen wird. Mit gut 95 Prozent Wahrscheinlichkeit liegt das tatsächliche Wachstum dann in einem Korridor von plus/minus 3,0 Prozent um den Prognosewert.

Wenn man bedenkt, dass das von uns bereits besprochene Trendwachstum Deutschlands aktuell bei 1,4 liegt, bedeutet dies, dass die Herbstprognosen praktisch wertlos sind. Stellen Sie sich vor, dass Ihnen im kommenden Herbst prognostiziert wird, dass Deutschland im Folgejahr mit genau diesen 1,4 Prozent wachsen wird. Dann wissen Sie, dass das tatsächliche Wachstum mit 95 Prozent Wahrscheinlichkeit im Bereich von –1,6 bis +4,4 Prozent liegen wird. Ich denke, dass haben Sie auch so schon gewusst, auch wenn Sie es vielleicht nicht so mathematisch ausdrücken konnten.

Man darf schon staunen, dass wir Ökonomen uns nicht mehr auf die Bereiche konzentrieren, in denen wir tatsächlich eine relativ hohe Prognosegenauigkeit haben. Traut man den Daten aus Grafik 1-6, dann sind Prognosen über die unmittelbar bevorstehende Zukunft vier- bis fünfmal treffsicherer als die Herbstprognosen. Tatsächlich sind unsere in der Ökonomie entwickelten Instrumente im Sinne eines Frühwarnradars für die Entwicklung von bis zu sechs Monaten sehr wohl brauchbar. Oder vergleichen Sie meine Aussagen zur Prognosegenauigkeit von Trendwachstumsschätzungen mit den Werten aus der Grafik. Auch hier haben wir offensichtlich eine bedeutend höhere Prognosegenauigkeit.

Unangenehmerweise ist die Nachfrage für Vorhersagen über den Jahreshorizont aber ungebrochen gross. Das mag in sich erstaunlich sein, sollte man doch annehmen, dass die Empfänger der Botschaft nach all den Jahren unbrauchbarer Prognosen gelernt haben, dass ihr Wunsch nach mehr Sicherheit über die Zukunft in diesem Punkt nicht erfüllt werden kann. Noch erstaunlicher ist aber, dass viele meiner Kollegen immer noch meinen, trotz dieser bedrückenden Evidenz diese Nachfrage bedienen zu müssen.

Meine Vermutung ist, dass sich der enorme Aufwand, der rund um die Herbstprognosen getrieben wird, aus anderen Gründen lohnt, die mit der Prognose nichts zu tun haben. Für die Medien ist klar, dass sie auf die enorme Nachfrage nach Konjunkturprognosen reagieren und die Wünsche ihrer Leser, Hörer und Zuschauer befriedigen möchten. Für die Konjunkturprognostiker ist die Sache auch klar: Die grosse mediale Aufmerksamkeit erlaubt, den eigenen Bekanntheitsgrad zu stärken und ganz nebenbei noch andere Botschaften an die interessierte Öffentlichkeit abzusetzen. Wie häufig werden Konjunkturprognosen nicht begleitet von Empfehlungen für Wirtschaftspolitik? Man kann nur hoffen, dass diese Empfehlungen auf einem solideren Fundament stehen als die Herbstprognosen.

Ein bescheidenes Herantreten an das Thema Konjunktur zwingt uns also zur Einsicht, dass wir über das Thema, zu dem wir am häufigsten befragt werden, wenig wissen. Wenig ist aber nicht gleichbedeutend mit nichts. Schauen wir uns also an, was wir über das Konjunkturphänomen tatsächlich sagen können. Bei genauerem Hinsehen werden wir feststellen, dass selbst unser bescheidenes Wissen über Fragen der Konjunktur hilfreich sein kann für unsere alltäglichen praktischen Entscheide.

Beginnen wir bei unserer Betrachtung von Konjunkturphänomenen mit dem Blick auf die zeitliche Entwicklung des Volkseinkommens. In Grafik 1-7 habe ich für die Schweiz das Trendvolkseinkommen, das wir im vorherigen Kapitel beschrieben haben, dem tatsächlich gemessenen Volkseinkommen gegenübergestellt. Man sieht sehr deutlich, dass es Phasen gibt, in denen das Volkseinkommen unter der Trendlinie liegt, und Phasen, in denen es darüber liegt. Wenn wir bei der Beschreibung der langfristigen Wachstumsentwicklung gesagt haben, dass wir der Frage nachgehen wollten, wie sich die Wirtschaft bei einer Normalauslastung der Faktoren Arbeit und Kapital entwickelt, wird klar, dass das zyklische Schwanken

Kapitalprognosen dienen oft anderen Zwecken als der Prognose

Produktionslücke (=Outputgap) als zentrale Grösse der Konjunkturbeobachtung

52

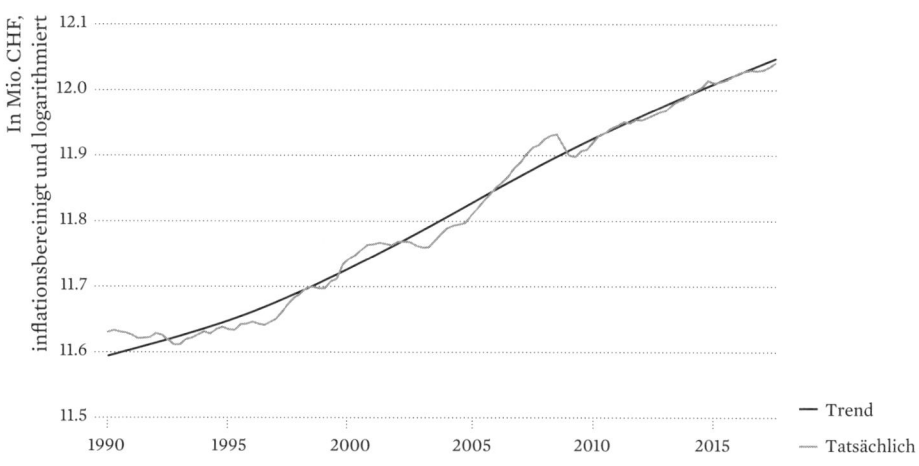

Grafik 1-7: Volkseinkommen der Schweiz, Trend und tatsächlich

des tatsächlichen Volkseinkommens um seinen Trend einhergehen muss mit Über- beziehungsweise Unterauslastungen dieser Produktionskapazitäten. Tatsächlich ist die Differenz zwischen Trend und dem jeweils gemessenen Volkseinkommen eine zentrale Grösse der Konjunkturforschung. Wir nennen sie Produktionslücke oder auf Neudeutsch Outputgap.

Was diese Grösse so wichtig macht, ist die Beobachtung, dass viele volkswirtschaftliche Statistiken die zyklische Entwicklung der Produktionslücke widerspiegeln. So bewegt sich zum Beispiel der Arbeitsmarkt parallel zu dieser Zahl. Steigende Produktionslücken bedeuten weniger Beschäftigung und in der Tendenz auch höhere Arbeitslosigkeit und umgekehrt. Wie wir sehen werden, hängt auch die Inflationsentwicklung mit dem Outputgap zusammen. So ist es durchaus normal, dass in Zeiten überausgelasteter Kapazitäten und tiefer Arbeitslosigkeit die Inflation zu steigen beginnt.

Da wir einen so engen Zusammenhang zwischen vielen für uns wichtigen Phänomenen und der so bestimmten Produktionslücke

Trend und Zyklus

sehen, hat sich in der Ökonomie in den vergangenen Jahrzehnten die Überzeugung etabliert, dass wir zyklische Fragen getrennt von Trendphänomenen untersuchen können. Diese Trennung hat weitreichendere Konsequenzen, als man sich das vorstellen mag. So kommen wir zum Schluss, dass die Wirtschaftspolitik mit dem Setzen von Rahmenbedingungen und der Förderung der Produktivität auf das Trendwachstum einwirken kann. Das kurzfristige Wachstum erscheint dagegen eher über die Beeinflussung der einzelnen Nachfragekomponenten im Volkseinkommen, also über den Konsum, die Investitionen oder die Staatsausgaben, möglich zu sein. Auch wenn ich in diesem Buch der Zweiteilung Trend und Zyklus folge, will ich Ihnen nicht verschweigen, dass es aktuell interessante Forschungsansätze gibt, die sich der Interaktion der beiden Kategorien widmen. Für eine praktische Verwertbarkeit der Ergebnisse dieser Arbeiten ist es aber leider noch viel zu früh.

Gehen wir zurück zur Betrachtung der Daten. Deutlich erkennbar sind in Grafik 1-7 die jeweiligen Abschwungphasen des Volkseinkommens. So wird deutlich, dass es in der Schweiz Anfang der 1990er-Jahre und zu Beginn des ersten Jahrzehnts dieses Jahrhunderts zu einer Abschwächung der Wachstumsentwicklung gekommen ist. Ganz deutlich zu erkennen ist auch der Einbruch im Rahmen der Finanzkrise, in dem sich die Überhitzung der Schweizer Konjunktur fast schlagartig abgebaut hat. Die Zeit zwischen dem Höchstpunkt der Produktionslücke und ihrem Tiefpunkt haben einen engen Zusammenhang mit dem, was wir Ökonomen Rezession nennen. Das scheint trivial, ist aber offensichtlich nicht für jeden selbsternannten Ökonomieexperten eingängig.

Wie oft müssen wir uns nicht anhören, dass eine Rezession als eine Phase von zwei oder mehr Quartalen mit negativem Wachstum definiert sei? Selbstverständlich steht diese «Definition» im Einklang mit dem Wortursprung von Rezession aus dem lateinischen Worte «recedere», das so etwas wie zurückgehen bedeutet. Was wäre aber, wenn eine Volkswirtschaft aufgrund einer rückläufigen

Bevölkerung und eines hohen Entwicklungsstands und damit nur begrenzter Möglichkeit, die Produktivität zu steigern, ein negatives Trendwachstum hätte? Wäre dieses Land dann dauerhaft in der Rezession? Oder was ist mit einem Land wie China, das ein Trendwachstum deutlich über den Werten der Industrienationen hat? Sind die Chinesen erst in der Rezession, wenn das Wachstum negativ wird? Da müssten sie wohl noch lange warten.

Sie sehen, die Pseudodefinition einer Rezession mit den zwei oder mehr negativen Wachstumsquartalen ist ungeeignet. Bereits seit den späten 1940er-Jahren weiss die Konjunkturforschung mehr. Als Rezession bezeichnen wir ein Phänomen, in dem eine Vielzahl von ökonomischen Indikatoren darauf hindeuten, dass sich die wirtschaftliche Entwicklung deutlich verschlechtert. Grosse Aufmerksamkeit kommen zum Beispiel Stimmungsindikatoren, Auftragseingängen oder Arbeitsmarktdaten zu. Heute bestimmt das National Bureau of Economic Research in den Vereinigten Staaten offiziell Beginn und Ende einer Rezession mit diesem breiten Ansatz. Praktisch alle ernstzunehmenden Konjunkturbeobachter folgen diesem Beispiel.

Eine sinnvolle Definition einer Rezession

Wenn wir dies zurückübersetzen auf unsere Darstellung von Trend und Zyklus für den einen Indikator «Volkseinkommen», dann wären wir wohl am dichtesten bei einer Definition von Rezession, wenn wir diese als eine Phase beschreiben würden, in der das aktuelle Wachstum deutlich unter dem Trendwachstum liegt. Konkret heisst das, dass wir in einem Land wie China aktuell wohl schon bei Wachstumsraten unter 5 Prozent von einer Rezession sprechen würden. In Japan liegt dieser Schwellenwert aber wohl eher bei −1 Prozent.

Tatsächlich wissen wir aber noch mehr über die Konjunktur. Grafik 1-8 stellt die Abfolge von Rezessionsphasen (grau) und Expansionsphasen der Wirtschaft (weiss) in der amerikanischen Wirtschaft dar, so wie sie offiziell bestimmt worden sind. Die Grafik zeigt sehr deutlich, dass es in der Mitte des vergangenen Jahrhunderts zu

Konjunkturzyklen sind asymmetrisch

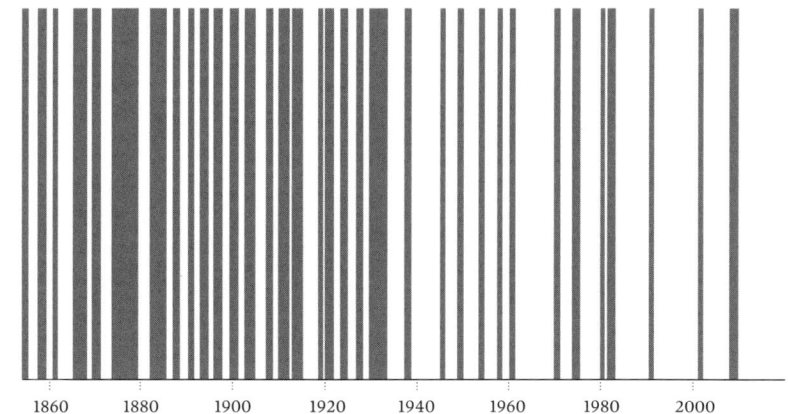

1860   1880   1900   1920   1940   1960   1980   2000

Grafik 1-8: Konjunkturzyklen in den USA

einer deutlichen Veränderung in der Abfolge der Konjunkturphasen gekommen ist. Während in der ersten Hälfte der Darstellung Expansionsphasen in etwa gleich lang sind wie Rezessionsphasen, stellen wir in der zweiten Hälfte fest, dass die Farbe Weiss dominiert. Tatsächlich waren seit den 1930er-Jahren Rezessionen nur einen Sechstel so lang wie Expansionsphasen. Der Konjunkturzyklus ist also deutlich weniger symmetrisch, als er normalerweise in Lehrbüchern beschrieben wird. Was auch auffällt, ist, dass die Expansionsphasen länger zu werden scheinen. So lag die Durchschnittslänge eines Zyklus in den Vereinigten Staaten seit dem Zweiten Weltkrieg bei 69 Monaten. Die letzten drei abgeschlossenen Zyklen hatten eine mittlere Länge von 106 Monaten, und auch der laufende Zyklus ist bereits überdurchschnittlich alt.

Auch wenn die Zahlenverhältnisse nicht immer identisch sind: Heute gilt in praktisch allen Industrie- und in vielen Schwellenländern, dass die Dauer von Rezessionen deutlich kürzer ist als die Dauer von Phasen mit überdurchschnittlichem Wachstum, und auch die Zykluslänge scheint zuzunehmen. Diese Veränderung, die seit

Mitte des letzten Jahrhunderts praktisch überall feststellbar ist, hat viel mit unserem über die Zeit gewachsenen Verständnis von volkswirtschaftlichen Abläufen und Zusammenhängen und den daraus resultierenden Institutionen in unserer Gesellschaft zu tun.

Ein erster Grund für die Asymmetrie der Konjunkturzyklen liegt in den sogenannten automatischen Stabilisatoren der Wirtschaftsentwicklung. Allen voran ist hier die Arbeitslosenversicherung zu nennen. Die Einführung einer Grundsicherung für den Fall des Arbeitsplatzverlusts hat nicht nur im Einzelfall das Schicksal der Betroffenen gelindert, sondern auch dazu geführt, dass in einem Abschwung diejenigen, die ihren Arbeitsplatz verlieren, nicht gezwungen sind, ihre Ausgaben drastisch zu reduzieren, weil ihre einzige Einkommensquelle verloren gegangen ist. Gleichzeitig werden auch diejenigen, die fürchten, in einer Rezession von Arbeitslosigkeit betroffen zu werden, weniger stark zurückhaltend in ihren Ausgaben werden. Rezessionen werden so – quasi automatisch, also ohne bewusste Aktion der Regierung – weniger tief und letztlich auch weniger lang.

Sozialversicherungen verstetigen die Konjunktur

Ein anderer Grund für diese Entwicklung ist der gewachsene gesellschaftliche Konsensus, dass die Wirtschaftspolitik in Schwächephasen des Wachstums mit mehr Staatsausgaben und tieferen Zinsen zur Ankurbelung von Investitionen und Konsum beitragen soll. Eine solche aktive Konjunkturpolitik ist unter Ökonomen allerdings immer noch umstritten. Zum einen liegt das daran, dass die Instrumente der Geldpolitik, wie die Veränderung der kurzfristigen Zinsen oder der im Umlauf befindlichen Geldmenge, eine eher verzögerte Wirkung auf die Nachfrage haben. Zum anderen leiden die Instrumente der fiskalischen Staatsausgaben- und -einnahmenpolitik daran, dass sie sehr träge in Bezug auf die Dauer der Beschlussfassung und ihre Umsetzung sind.

Dazu kommt der noch gravierendere Einwand, dass eine über eine Veränderung der Staatsausgaben geführte Fiskalpolitik eine destabilisierende Wirkung auf die Staatsverschuldung haben kann. Dies liegt auf der einen Seite daran, dass in der Rezession die öffent-

Konjunkturpolitik durch aktive Fiskalpolitik schafft nur kurzfristig Wachstum …

lichen Haushalte aufgrund von tieferen Steuereinnahmen und höheren Sozialausgaben eh schon belastet sind. Auf der anderen Seite tut sich die Politik in der Regel sehr schwer damit, einmal vergrösserte Defizite wieder zurückzuführen.

Dabei ist wichtig zu verstehen, dass eine Ausweitung der Staatsausgaben nur im ersten Jahr zu einem Wachstumseffekt führt. Danach bleiben die Ausgaben unverändert hoch, womit das Defizit bleibt. Einen Wachstumseffekt haben konstante Staatsausgaben dann natürlich nicht mehr. Im Gegenteil, wenn man die Defizite wieder verkleinert, wird das Wachstum sogar gebremst. Aktive Fiskalpolitik ist also so etwas wie ein Nullsummenspiel für das Wachstum über die Zeit.

... aber dauerhaft höhere Schulden Auf der Seite der Steuer- oder Staatseinnahmenpolitik ist die Situation nicht wesentlich anders. Natürlich kann die Abschaffung oder Senkung von ineffizienten Steuern langfristig Wachstumskräfte freisetzen. Eine signifikante Konjunkturwirkung hat das aber nur, wenn auch die Staatseinnahmen deutlich sinken. Damit steigen in der Regel die Defizite, und genau wie im Fall der Staatsausgaben steigt für einen im Wesen einmaligen Wachstumsimpuls die Verschuldung dauerhaft an.

Nehmen wir die fiskalische Entwicklung der letzten beiden Zyklen als Illustration. Grafik 1-9 stellt als Beispiel die Entwicklung der Defizite Grossbritanniens, des Euroraums und der Vereinigten Staaten einander gegenüber. Dargestellt ist das Gesamtdefizit des Staats, das den Zentralstaat, die regionalen Gliedstaaten, die Gemeinden und Städte sowie die Sozialversicherungen umfasst. Um die Ländergrössen vergleichbar zu machen, messen wir die Defizite in Prozent des jeweiligen Volkseinkommens. Die Betrachtung beginnt im Jahr 1999, dem Jahr der Einführung des Euros.

Alle drei Linien lassen den Einfluss der Weltrezession 2001/02 und der Finanzkrise von 2007/08 erkennen. Betrachten wir die Defizitentwicklung der Euroländer, sieht man deutlich, wie schwer es den europäischen Demokratien gefallen ist, die Defizite, die in der

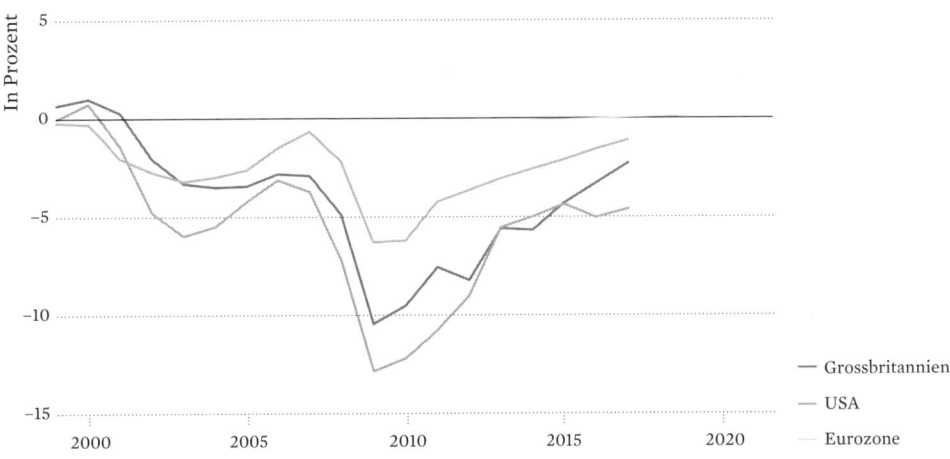

Grafik 1-9: Budgetdefizite in Prozent des Volkseinkommens

ersten Rezession des vergangenen Jahrzehnts entstanden sind, wieder zurückzuführen. Erst im Jahr 2017 ist dies beinahe gelungen. Über all die Jahre ist natürlich die Verschuldung angestiegen.

Grafik 1-10 stellt die Entwicklung der Gesamtverschuldung der öffentlichen Haushalte dieser drei Volkswirtschaften wiederum in Prozent des Volkseinkommens dar. Interessanterweise stellen wir fest, dass der Verschuldungsgrad der Eurozone trotz der Defizite von der Einführung der Einheitswährung bis zum Jahr 2007 von 79 auf 72 Prozent des Volkseinkommens gesunken ist. Wie war das möglich? Offensichtlich ist das Volkseinkommen deutlich schneller gestiegen als die Neuverschuldung.

Wichtig für das Verständnis dieser Entwicklung ist die Feststellung, dass es sich bei Schulden und dem hier verwendeten Wert des Volkseinkommens um nominelle, also nicht inflationsbereinigte Grössen handelt. Tatsächlich braucht es also nicht einen Überschuss im Haushalt, um bei einer wachsenden Wirtschaft die Schuldenlast zu verkleinern. Eine Regierung kann die Verschuldungsproblematik

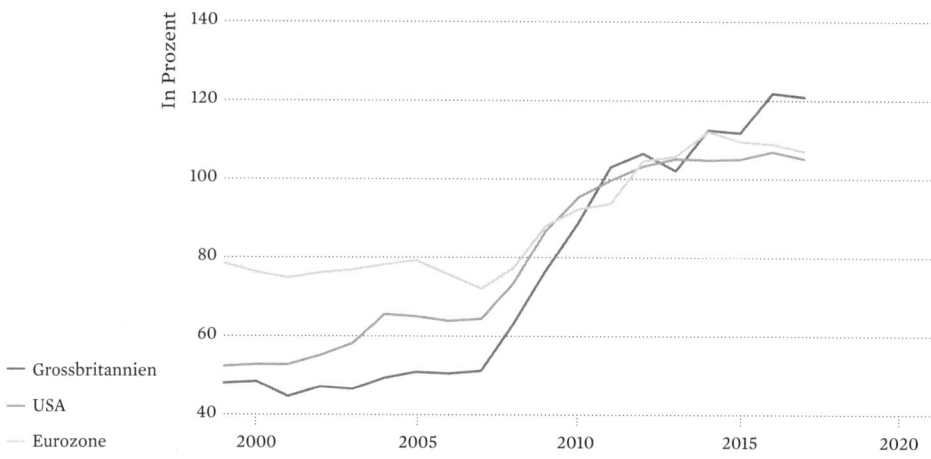

Grafik 1-10: Staatsverschuldung in Prozent des Volkseinkommens

mithilfe von realem Wachstum und Inflation verkleinern. Dabei entsteht durch sogenanntes nominales Wachstum ein doppelt positiver Effekt. Wenn es gelingt, Staatsausgaben nicht weiter zu erhöhen, werden die mit dem gestiegenen Volkseinkommen zunehmenden Staatseinnahmen die Defizite verkleinern, und gleichzeitig sinkt die Grösse der Staatsschuld relativ zum vergrösserten Volkseinkommen.

Genau das war offensichtlich die Strategie der Länder der Eurozone bis zum Beginn der Finanzkrise. Grossbritannien und die Vereinigten Staaten waren diesbezüglich offensichtlich weniger erfolgreich. So ist es beiden Ländern weder gelungen, bis zum Ausbruch der Finanzkrise die Defizite wieder zurückzufahren, noch haben sie es geschafft, die Staatsverschuldung im Verhältnis zum Volkseinkommen zu reduzieren.

Hinter dieser Verschlechterung verstecken sich die sogenannten temporären Steuererleichterungen der Regierung Bush aus den Jahren 2001 und 2003. Ohne Zweifel haben diese geholfen, dass die erste Rezession des vergangenen Jahrzehnts in ihren Auswirkungen gebremst blieb. Tatsächlich ist in dieser vergleichsweise flachen Rezession aufgrund der Steuergeschenke der reale Konsum nie rückläufig gewesen, was ungewöhnlich ist für eine Rezession. Zum Unglück für die Defizit- und Schuldenentwicklung waren die Steuererleichterungen aber nicht so temporär, wie ursprünglich behauptet wurde. Erst im Jahr 2013 wurden diese Steuererleichterungen wieder grösstenteils zurückgenommen. In all diesen Jahren gab es durch diese Steuererleichterungen also keine Wachstumswirkung. Gleichzeitig sind aber die Schulden jedes Jahr weiter gestiegen.

Tatsächlich ist die fiskalpolitische Entwicklung der angelsächsischen Staaten in den vergangenen Jahren verheerend gewesen. In der Finanzkrise sind die Budgetdefizite auf Werte von 10 Prozent des Volkseinkommens und mehr und damit im Schnitt auf den doppelten Wert des Defizits der Eurozone gewachsen. Ein eigentlicher politischer Wille zur Zurückführung dieser Defizite war in der Folge kaum erkennbar. Die Rücknahme der beschriebenen temporären Steuererleichterungen wurde in Amerika von der Verfassung erzwungen. Der Rückgang der Defizite in Grossbritannien ist im Wesentlichen auf die im Zeitablauf kleiner werdende Unterstützung für die britischen Banken zurückzuführen. Begleitet war diese politische Zurückhaltung von einer breiten Unterstützung von führenden Ökonomen, die auf die wachstumsdämpfende Wirkung von Defizitreduktionen verwiesen haben.

Wie recht diese Ökonomen mit ihrer Warnung hatten, haben wir im gleichen Zeitraum in der Eurozone erleben können. Dort mangelte es ganz offensichtlich nicht am nötigen politischen Willen zur Defizitreduktion. Mit teilweise harschen Sparprogrammen haben die Europäer ihre Wirtschaft unmittelbar nach der Finanzkrise in eine zweite Rezession geführt. Zweifelsohne wären sogar noch stärkere Sparmassnahmen möglich und, dem Buchstaben der europäischen Verträge folgend, auch nötig gewesen. Dennoch ist die Entwicklung der Defizite eindrücklich. Trotz erneuter Rezession und damit sinkender Staatseinnahmen und erhöhter Sozialausgaben waren diese rückläufig.

Am deutlichsten wird der Unterschied zwischen den angelsächsischen Staaten und der Eurozone in Bezug auf die Fiskalpolitik bei einem Blick auf die Verschuldungsentwicklung. Tatsächlich haben die Vereinigten Staaten und Grossbritannien die Eurozone in Bezug auf Verschuldung im Jahr 2008 beziehungsweise 2010 überholt. Von 1999 bis 2015 ist die Verschuldungsquote in der Eurozone um bedenkliche 32 Prozentpunkte angestiegen. Was aber richtig Sorge bereitet, ist der jüngste Anstieg in Amerika von 61 und in Grossbritannien von 59 Prozentpunkten. Gemessen am Ausgangspunkt hat sich in den angelsächsischen Ländern die Verschuldungsquote also mehr als verdoppelt.

Wenn diese Zahlen für Sie überraschend sind, beginnen Sie vielleicht noch besser zu verstehen, warum ich so über meine Zunft der Ökonomen staune. In der öffentlichen Diskussion der letzten Jahre wurden vor allem die fiskalischen Exzesse der Eurozone kritisch diskutiert. Die Bemühungen, über Sparmassnahmen die Verschuldungsproblematik in den Griff zu bekommen, wurden gerade von konservativer Seite als Beleg für die strukturelle Schwäche der Einheitswährung herangezogen. Die gleiche kritische Auseinandersetzung mit den Briten oder Amerikanern ist aber ausgeblieben.

Die öffentliche Diskussion dieser Themen ist mittlerweile so weit von der Realität entfernt, dass der blosse Hinweis auf diese eindrücklichen Zahlen bereits als Parteinahme gewertet wird. Daher muss ich wohl an dieser Stelle deutlich machen, dass auch ich mir Sorgen über die Staatsverschuldung all dieser Länder, auch derjenigen der Eurozone, mache. Will die Politik die langfristige Wirtschaftsentwicklung kontrollierbar halten, muss es gelingen, die Verschuldungsdynamik zu brechen und über den Zeitablauf die Verschuldungsquoten zurückzuführen.

Kommen wir aber zurück zu den Dingen, die wir über die Konjunkturentwicklung wissen. Bis jetzt haben wir gesehen, wie stark das Volkseinkommen von seinem Trendwert abweichen kann, und festgestellt, dass aktive Konjunkturpolitik versucht, über eine Beein-

Tabelle 1-2: Wachstumsbeiträge der Nachfragekomponenten von 1950 bis 2009

		Mittelwert	Standard-abweichung	Minimum	Maximum
Schweiz	Volkseinkommen	2,7	2,7	−6,7	8,4
	Privater Konsum	1,5	1,1	−1,6	3,8
	Staatskonsum	0,3	0,4	−0,3	1,7
	Investitionen	0,9	2,1	−5,2	6,2
	Nettoexporte	0,2	1,0	−3,0	2,3
USA	Volkseinkommen	3,3	2,4	−2,4	8,7
	Privater Konsum	2,2	1,2	−0,5	4,6
	Staatskonsum	0,6	1,0	−1,6	5,8
	Investitionen	0,6	1,7	−3,4	5,7
	Nettoexporte	−0,1	0,7	−1,6	1,7

flussung der Nachfrage etwaige Produktionslücken klein zu halten. Tabelle 1-2 stellt nun dar, wie wichtig Veränderungen in den Bestandteilen der Nachfrage für das Wachstum der Volkswirtschaft eigentlich sind.

Zu diesem Zweck haben wir für die wichtigsten Hauptbestandteile der Verwendungsrechnung der nationalen Buchhaltung berechnet, wie gross ihr Beitrag zum Wachstum des Volkseinkommens in jedem Jahr seit 1950 in den Vereinigten Staaten und der Schweiz gewesen ist. Daneben finden Sie Angaben über die Schwankungsbreite dieser Wachstumsbeiträge. Dazu gehören der jeweils in diesem Zeitraum grösste und der kleinste Wert sowie die sogenannte Standardabweichung, die ein statistisches Mass für die Streuung der Ergebnisse gibt.

Betrachten wir zunächst die Wachstumsbeiträge der Nachfragekomponenten selbst. In beiden Ländern hat der private Konsum am meisten zum Wachstum beigetragen. Das ist wenig überraschend,

Wachstumsbeiträge der Nachfragekomponenten

zum einen wegen der Grösse des Konsums, zum anderen, weil wir ja schon festgestellt haben, dass Wirtschaften kein Selbstzweck ist, sondern letztlich etwas mit Bedürfnisbefriedigung der Menschen zu tun hat.

Deutlich kleiner ist in beiden Ländern der Wachstumsbeitrag der Investitionen. Unter Investitionen verstehen wir die Ausgaben der Unternehmen für Maschinen und Anlagen und die Gesamtausgaben für Investitionen in Immobilien und Infrastruktur.

Für viele überraschend wird sein, dass der Aussenhandel keinen massgeblichen Wachstumsbeitrag leistet. Dies liegt statistisch gesehen daran, dass wir genau wie bei der Berechnung des Bruttoinlandprodukts das Augenmerk auf die Nettoexporte, also die Differenz aus Exporten und Importen, gelegt haben. Etwas vereinfacht könnte man auch sagen, dass wir hier sehen, dass die Handelsbilanz sich nicht dauerhaft in die eine oder andere Richtung entwickeln kann. Nur ein dauerhaft schnellerer Anstieg der Exporte als der Importe würde zu einem positiven Wachstumsbeitrag führen. Ökonomisch interpretiert bedeutet dieser tiefe Beitrag natürlich auf keinen Fall, dass Exporte und Importe zu vernachlässigen sind. Wie oben beschrieben, sind sie Teil eines Prozesses der internationalen Arbeitsteilung, der dazu führt, dass die an der Globalisierung teilnehmenden Nationen produktiver werden und ein höheres Volkseinkommen erzielen. Dieses höhere Volkseinkommen wiederum erlaubt einen grösseren Konsum.

Für die Analyse der Konjunkturentwicklung ist es aber wichtig, zu verstehen, dass Exporte und Importe sich zyklisch sehr parallel entwickeln. Ein grosser Teil der Importe besteht nämlich aus Vorleistungen für später wieder exportierte Waren und Dienstleistungen. In einem Land wie der Schweiz ist das recht einleuchtend, verfügt die Alpenrepublik doch über praktisch keinerlei Rohstoffe.

Interessant ist auch der Blick auf den Staatskonsum, der in beiden Ländern positive Wachstumsbeiträge geleistet hat. Dahinter steht eine über die Jahrzehnte anwachsende Bedeutung des Staats als

Nachfrager in der Wirtschaft. Ob man das ideologisch mag oder nicht, in der Schweiz stammen gut 11, in den Vereinigten Staaten mehr als 15 Prozent des Wachstums aus einer Ausdehnung der Staatsaktivität. Interessant ist es allemal, zu sehen, dass in den Vereinigten Staaten der Staat für die Konjunktur eine deutlich grössere Bedeutung hat als in der Schweiz.

Das Interessanteste an der Tabelle sind aus Konjunkturperspektive aber nicht die Durchschnittswerte, sondern die Angaben zu den Schwankungsbreiten der Wachstumsbeiträge. Hier können wir ablesen, woher die Veränderungen in den jährlichen Wachstumsraten des Volkseinkommens in der Vergangenheit gekommen sind.

Investitionen sind der wichtigste Treiber der Konjunktur

Betrachten wir als beste Massgrösse für die Stärke der Fluktuation der Daten das statistische Mass der Standardabweichung, so stellen wir fest, dass in beiden Ländern die Investitionen die am stärksten schwankenden Wachstumsbeiträge liefern. Mit anderen Worten, die Investitionen sind der Haupttreiber des Konjunkturzyklus. In der Schweiz kommen doppelt so starke Veränderungen der gesamtwirtschaftlichen Wachstumsrate aus den Investitionen als aus dem Konsum oder dem Aussenhandel. In den Vereinigten Staaten sind ebenfalls die Investitionen der Haupttreiber der Konjunktur, gefolgt vom privaten Konsum und den Staatsausgaben. Letzteres illustriert, dass aktive Fiskalpolitik in Amerika einen viel grösseren Einfluss auf die Konjunkturentwicklung nimmt als bei uns.

Gerade das Wissen über diese Zusammenhänge hätte manchem Beobachter in der Schweiz in den letzten Jahren gute Dienste bei der Einschätzung der Konjunkturentwicklung erwiesen, musste das Land doch 2011 und 2015 jeweils eine schockartige Aufwertung des Frankens hinnehmen. Beide Male war die einhellige Meinung, dass eine durch den Aussenhandel ausgelöste Rezession unvermeidliche Folge der Frankenstärke sein müsste. Beide Male waren die Prognosen falsch.

Dabei steht es ausser Frage, dass die jeweilige Frankenaufwertung die Lage der Exportwirtschaft deutlich verschlechtert hat. Sowohl die exportorientierte Investitionsgüterindustrie als auch der Fremdenverkehr in den Berggebieten durchlebten zweimal einen deutlichen Rückgang der Nachfrage. Für das Land insgesamt resultierte aber keine Rezession, weil die Importe einen Teil der verschlechterten Exportsituation reflektiert haben, weil die Bauwirtschaft aufgrund der wachsenden Zuwanderung mehr absetzen konnte und weil der Konsument nicht einfach nur billiger gewordene ausländische Ware gekauft hat, sondern auch Waren und Dienstleistungen aus Schweizer Produktion.

Für die Beurteilung der unmittelbaren Zukunft der konjunkturellen Entwicklung enthalten diese Daten also tatsächlich mächtiges Wissen. Wir wissen, dass wir vor allem verstehen müssen, wie sich die Investitionen in einer Volkswirtschaft zyklisch entwickeln, wenn wir verstehen wollen, was in den kommenden Monaten an Wachstumsveränderungen wahrscheinlich ist.

Investitionen werden durch Gewinne und Optimismus getrieben

Stellt sich nun also die Frage, was zu Veränderungen in den Investitionen führt. In den Einführungsbüchern zur Ökonomie der gesamtwirtschaftlichen Entwicklung, kurz auch Makroökonomie genannt, werden Sie dazu interessanterweise auch heute noch viele in die Irre führende Informationen finden. So werden Sie die Beschreibung eines engen Zusammenhangs zwischen Investitionsentwicklung und Zinsentwicklung finden, den wir so in der Wirklichkeit kaum haben. Viel wichtiger sind in der Realität zwei andere Grössen: die Entwicklung der Unternehmensgewinne und damit eng verbunden die Entwicklung der Stimmung bei den Unternehmen.

Weil wir über die Entwicklung der Gewinne der Unternehmen erst sehr spät Daten erhalten, hat sich die Konjunkturforschung in der Vergangenheit zunehmend auf die Erforschung der Stimmungslage fokussiert. Dies gilt übrigens nicht nur für die Stimmung bei den Unternehmen, sondern auch für die Frage nach dem Optimismus oder Pessimismus der Konsumenten. Wenn Sie wollen, hat dieser Teil meines Berufs gewisse Gemeinsamkeiten mit dem Beruf meines

Bruders, des Psychoanalytikers. Konjunkturforschung beginnt im übertragenen Sinne mit der Frage: Wie geht es uns denn heute?

In regelmässigen und grossen Umfragen werden heute Konsumenten und Unternehmer systematisch nach ihrer Einschätzung ihrer individuellen wirtschaftlichen Lage befragt. Die Konsumenten beantworten Fragen nach der augenblicklichen und der erwarteten wirtschaftlichen Lage, nach der subjektiven Arbeitsplatzsicherheit oder aber Fragen danach, ob jetzt der richtige Zeitpunkt für eine grössere Anschaffung oder eine Renovation des Hauses wäre. Unternehmen rapportieren schon etwas härtere Fakten. So beziehen sich die Umfragen dort mehr auf Auftragseingang oder -bestand oder auf die Pläne bezüglich einer Veränderung der Beschäftigung oder der Preise. Aus den Antworten werden dann auf einfache Art Indizes des Optimismus und Pessimismus berechnet.

Grafik 1-11 zeigt die Entwicklung von solchen Stimmungsindizes, die in unserem Konjunkturklimaindikator zusammengefasst sind, und die Entwicklung des Wachstums in der Eurozone. Ganz deutlich ist der enge Zusammenhang zwischen Stimmung und Konjunktur zu erkennen. Wer genau hinschaut, sieht sogar, dass die Stimmungsdaten die Entwicklung der Wachstumsraten ein wenig vorwegnehmen. Macht man sich darüber hinaus zunutze, dass Stimmungsdaten sehr aktuell verfügbar sind, kann man zusammen mit traditionellen Wirtschaftsstatistiken sogenannte Frühwarnindikatoren entwickeln, die helfen, das Volkseinkommen in der kurzen Frist zu prognostizieren.

Die relativ guten Prognoseleistungen dieser Vorgehensweise hatten wir ja oben schon betrachtet. Man kann diese aber noch anders quantifizieren. Unsere Frühwarnindikatoren erlauben es uns, je nach Land zwischen 66 bis 90 Prozent der Varianz der Veränderung der Wachstumsraten des Volkseinkommens ein bis zwei Quartale im Voraus zu prognostizieren.

Beachtung von Frühwarnindikatoren hilft, bessere Entscheidungen zu treffen

Gerade die Entwicklung des Wachstums in der Eurozone ist hier ein gutes Beispiel. Wer solche Frühwarnindikatoren systematisch

In Prozent

6

4

2

0

−2

— Reales PIP

— W&P-Konjunk-
turklima   −4

— W&P-Trend-
wachstumsrate   −6

1995   2000   2005   2010   2015

Grafik 1-11: Wachstum und Konjunkturklima in der Eurozone

benutzt hat, konnte viel früher als andere erkennen, dass die europäische Konjunktur ihren Boden gefunden hat. Ich kann mich gut an den Herbst 2013 erinnern, als wir unseren Kunden erstmals mitteilten, dass wir mit einem Aufschwung für Europa rechnen dürften. Die erste Reaktion war ungläubiges Staunen. Als dann die Wachstumsraten sich allmählich von ihren Tiefstständen entfernten, blieb die allgemeine Erwartung, dass der Aufschwung nicht langlebig sein würde. Im Frühjahr 2016 hat die Eurozone in ihren Wachstumsraten dann die Vereinigten Staaten überholt. Erst ein Jahr später ist die Akzeptanz gewachsen, dass in Europa Wachstum möglich ist.

Leider ignorieren viele Menschen, die politische und wirtschaftliche Verantwortung tragen, diese sehr brauchbaren Informationen der Frühindikatoren für ihre Arbeit. Gerade in der Unternehmensführung erlaubt die Verknüpfung von gesamtwirtschaftlichen mit betriebswirtschaftlichen Daten Möglichkeiten der Geschäftssteuerung, die heute grösstenteils ungenutzt bleiben. Schuld daran sind

auch wir Ökonomen, haben wir doch jahrelang mit der vergleichsweise unnützen Verbreitung von Konjunkturprognosen über die
Jahres- und Zweijahresfrist unsere eigene Glaubwürdigkeit systematisch untergraben.

Dabei haben wir gesehen, dass wir recht viel über das Phänomen
Wachstum wissen. So dürfen wir mit Fug und Recht erwarten, dass
die Trendwachstumsraten der meisten Volkswirtschaften in den
kommenden Jahren weiter fallen werden. Wir wissen, dass die
Schlüsselvariable für unser zukünftiges Einkommen Produktivität
heisst und dass wir alles dafür tun müssen, diese zu steigern. Neben
einem klaren Fokus auf effiziente Ausbildungssysteme gehört dazu
auch, dass wir versuchen, unseren Aussenhandel so frei wie möglich
zu halten.

Während wir die langfristige Wirtschaftsentwicklung also recht
gut beschreiben können, ist unser Wissen über das Thema Konjunktur begrenzt. So wissen wir zwar, dass der Konjunkturzyklus asymmetrisch ist. Auch können wir die zyklischen Schwankungen des
Wachstums über die kommenden Monate recht gut prognostizieren.
Die klassische Konjunkturprognose über den Zeitraum von ein bis
zwei Jahren ist aber praktisch wertlos.

Dennoch hoffe ich, dass ich Ihnen in diesem Kapitel eine ganze
Reihe von Hinweise dazu gegeben habe, wie wir ökonomisches Wissen zum Thema Wachstum praktisch einsetzen können. Im folgenden Kapitel wollen wir erkunden, wie es um unser Wissen zum Thema Inflation steht.

Inflation

«Sind die Unglücke, die zum Untergang eines Königreiches,
Fürstentums oder einer Republik führen können, auch zahlreich,
so sind diejenigen, vor denen man sich am meisten
in Acht nehmen muss, nach meiner Meinung:
Krieg, Krankheit, Hunger und Inflation.»

Nikolaus Kopernikus (1526)

Inflation am Horizont?

Kennen Sie Gideon Gono? Das müssen Sie auch nicht. Gono ist Träger des Ig-Nobelpreises für Mathematik des Jahrs 2009. Er bekam diese auch «Anti-Nobelpreis» genannte Auszeichnung für die Schaffung einer «einfachen und alltäglichen Möglichkeit» zur Übung des Umgangs mit Zahlen aus einem grossen Zahlenbereich. Gono war von 2003 bis 2013 Zentralbankpräsident von Simbabwe. In dieser Zeit war er unter anderem dadurch berüchtigt, dass er für das korrupte und menschenrechtsverachtende Regime des Diktators Robert Mugabe hemmungslos die Notenpresse zur Finanzierung der Staatsausgaben einsetzte. Die Folge war ein ins Uferlose ausartender Preisanstieg. Die letzten Geldscheine, die Gono drucken liess, hatten einen Wert von 100 Billionen Simbabwe-Dollar. In Zahlen ausgedrückt: 100 000 000 000 000!

Mir ist Gideon Gono das erste Mal aufgefallen, als ich im Jahr 2009 ein Interview mit ihm im amerikanischen Nachrichtenmagazin *Newsweek* gelesen habe. Dort hat er unter anderem gesagt:

«Ich wurde von traditionellen Ökonomen verurteilt, die gesagt haben, dass Geld drucken zu Inflation führt. Aus Lebensnotwendigkeit, um meinem Volk zu helfen zu überleben, habe ich Geld gedruckt. Ich musste Dinge tun, die nicht in den Lehrbüchern der Ökonomie stehen. Dann bat der Internationale Währungsfonds die USA, Geld zu drucken. Ich begann zu sehen, dass die ganze Welt dazu übergegangen war, Dinge zu tun, die man bei mir kritisiert hatte. Ich beschloss, dass Gott auf meiner Seite war und mich rehabilitiert hatte.»

Mit der Anspielung auf die Vereinigten Staaten waren die ausserordentlichen Massnahmen gemeint, die die US-Notenbank, aber auch andere Zentralbanken in der industrialisierten Welt, ergriffen hatten, um die Auswirkungen der Finanzkrise zu mildern. So hatten die Amerikaner und Briten im Winter 2008/09 damit begonnen, in grossem Stil auf den Finanzmärkten Anleihen aufzukaufen. Die Anleihen wurden dabei mit frisch gedrucktem Geld bezahlt, und die im Umlauf befindliche Geldmenge stieg drastisch an.

Die Geldmengen sind weltweit drastisch gestiegen

Diese aussergewöhnliche Methode der Geldpolitik bezeichnen die meisten Beobachter verniedlichend als quantitative Lockerung oder auf Englisch als «quantitative easing», abgekürzt QE. Dass die Lockerung quantitativ bedeutend war, lässt sich mit einigen wenigen Zahlen eindrucksvoll belegen. Von dem Beginn der Finanzkrise bis Ende 2016 ist die Basisgeldmenge in den Vereinigten Staaten um gut 350 und in Grossbritannien um knapp 500 Prozent gestiegen. Das ist deutlich mehr als der im gleichen Zeitraum erfolgte Anstieg des Volkseinkommens von gerade einmal 28 Prozent in beiden Ländern. Die Europäische Zentralbank (EZB) wollte anfänglich bei dieser – gelinde gesagt – unkonventionellen Form der Geldpolitik nicht mitmachen. Erst im Jahr 2015 kündigten die Europäer im Nachgang der Eurokrise ebenfalls ein Programm der quantitativen Lockerung an. Anfang 2018 lag die Basisgeldmenge im Euroraum 280 Prozent über dem Wert vor der Finanzkrise.

Einen Sonderfall in der Geldmengenentwicklung der letzten Jahre stellt die Schweiz dar. Hier stammt das starke Wachstum der Basisgeldmenge nicht aus dem verzweifelten Versuch, über tiefe Zinsen und eine starke Liquiditätszufuhr das Wirtschaftswachstum zu beschleunigen. Die Schweizerische Nationalbank (SNB) hat seit dem Beginn der Finanzkrise mit einer starken Aufwertung des Frankens zu kämpfen gehabt. Im hartnäckigen Bemühen, diese Aufwertung nicht zu weit gehen zu lassen, hat sie seit dem Jahr 2009 immer wieder am Devisenmarkt interveniert und das Angebot an Franken erhöht. Auf diese Weise hoffte die SNB, ihre Währung zu schwächen und dadurch negative Auswirkungen auf die Exporteure und den Tourismus zu dämpfen. Gleichzeitig sollte ein allzu starkes Sinken der Importpreise verhindert werden. Das Resultat ist beeindruckend.

Seit dem Beginn der Finanzkrise ist die Schweizer Basisgeldmenge noch stärker gewachsen als in den anderen Industrienationen. Mit einem Zuwachs von gut 1200 Prozent hält die SNB eine einsame Spitzenposition unter den Zentralbanken der Industrienationen.

Vor diesem Hintergrund lässt einen das Zitat von Gideon Gono nachdenklich werden. Droht uns in der westlichen Welt auch eine grosse Inflationswelle, so wie in Simbabwe? Wie viel Geld braucht eine Volkswirtschaft, damit sie reibungslos funktioniert? Wie viel Geld ist zu viel Geld? Was wissen wir eigentlich über Inflation?

Die Antwort auf diese Fragen wird Sie nicht mehr überraschen. Wir wissen wenig, aber das Wenige, das wir wissen, ist sehr mächtig. Im Gegensatz zu unserem Wissen zum Wachstum können wir das Wissen zur Inflation aber nur selten in haltbare, konkrete Prognosen umsetzen. Ähnlich wie beim Thema Wachstum wissen wir dabei viel über die langfristigen Zusammenhänge. Kurzfristig wissen wir nur manchmal etwas, was aber dennoch sehr nützlich sein kann.

Insgesamt wissen wir deutlich weniger über Inflation, als uns lieb wäre. Da die Preissteigerungsraten in den vergangenen Jahrzehnten im Trend gefallen sind, haben wir uns im Laufe der Zeit nur noch wenig Gedanken über Inflation machen müssen. Kommt hinzu, dass für einen Teil des Inflationsrückgangs auch andere als monetäre Zusammenhänge geltend gemacht wurden. So haben einige Ökonomen spekuliert, dass der Inflationsrückgang auch mit einer Beschleunigung der Globalisierung oder mit dem Aufkommen des Internets zu tun haben könnte. Damit wurde das Thema der Geldmengenexpansion nicht nur weniger drängend, sondern auch in der Forschung machten sich neue Ansätze zur Erklärung breit. Leider haben uns diese neueren Forschungsansätze bis jetzt wenig belastbare Erklärungen geliefert. Die Beschäftigung mit diesen Theorien war aber wohl mit ein Grund, warum wir begonnen haben, unser weniges brauchbares Wissen zum Thema Inflation zu verdrängen.

Dabei ist die Frage, ob Preise konstant bleiben, fallen oder steigen, für unser alltägliches Leben von grosser Bedeutung. Auch wenn es für

Wir haben vergessen, wie wichtig Preisstabilität ist

75

das Verständnis von vielen volkswirtschaftlichen Zusammenhängen sinnvoll und wichtig ist, inflationsbereinigte Zahlen zu betrachten, leben wir unser Leben doch in nominalen und nicht in realen Grössen. Inflation hat einen direkten Einfluss auf viele unserer Entscheidungen. Ob der Lohn am Ende des Monats ausreicht oder ob die Rente in 20 Jahren genügt, um unseren Lebensstandard zu halten, hängt ganz massgeblich und direkt von der Inflationsentwicklung ab.

Darüber hinaus gibt es einen Zusammenhang von Inflation und Zins. Hohe Inflationsraten sind meist von hohen Zinsen begleitet, und tiefe Inflation tritt meist zeitgleich mit tiefen Zinsen auf. Damit hat die Inflationsentwicklung eine direkte Wirkung auf die Finanzmärkte. Tiefe Inflation und tiefe Zinsen führen zu hohen Bewertungen von Anlagen. Hohe Inflationsraten und hohe Zinsen sind umgekehrt schlecht für Vermögenswerte. Damit ist, auch wenn es uns vielleicht weniger bewusst ist, die Inflation für unsere Ersparnisse, unser Vermögen und wohl auch für die Preise der von uns bewohnten Immobilien eine entscheidende Grösse. Darüber werden wir uns im dritten Kapitel zum Thema Finanzmärkte nähere Gedanken machen. Dementsprechend lohnt es sich, gemeinsam einen Blick auf das Wissen der Ökonomie auf diesem Gebiet zu werfen.

Geldmenge und Preisniveau hängen zusammen

Über die letzten fast 500 Jahre haben wir gelernt, wie Geldmenge und Preisniveau miteinander verbunden sind und wann es zu unkontrollierter Inflation kommt. Viele Länder haben anhand dieses Wissens ihre wirtschaftspolitischen Institutionen angepasst, damit eine Entwicklung wie in Simbabwe zumindest sehr unwahrscheinlich wird. In diesem Sinne hoffe ich, Sie beruhigen zu können, was den unmittelbaren Wirtschaftsausblick angeht: Trotz enormen Geldmengenwachstums wird in den westlichen Industrienationen mit grosser Wahrscheinlichkeit die Inflation nicht aus dem Ruder laufen.

Gleichzeitig müssen wir uns eingestehen, dass wir zwar den Mechanismus kennen, wie aus dem Wachstum der Geldmenge Inflation entsteht, dass wir aber kaum in der Lage sind, diesen Mechanismus so zu kontrollieren, wie wir uns das wünschen. So wird die Steuerbarkeit der Inflationsentwicklung in der kurzen Frist durch Schwankungen, ausgelöst von Wechselkursen, Energie- oder Nahrungsmittelpreisen, erschwert. Dennoch sind die historisch bekannten, empirischen Zusammenhänge zwischen Geldmenge und Inflation immer noch vorhanden. Lassen Sie uns diese Zusammenhänge in der Folge gemeinsam betrachten. Dann wird hoffentlich deutlicher, warum wir zum Schluss gekommen sind, dass die Inflation in den kommenden Jahren wieder deutlich über den Werten der letzten Jahre liegen wird.

Tatsächlich verfügen wir beim Thema Inflation über ein sehr altes und empirisch über viele hundert Jahre erhärtetes Wissen. Der Wert des Geldes ist bereits seit dem späten Mittelalter eine zentrale Frage des Nachdenkens über ökonomische Zusammenhänge. Berühmte Wissenschaftler wie Nikolaus Kopernikus (1473–1543) oder Isaac Newton (1643–1727) haben über dieses Thema geschrieben. Den ersten Durchbruch für ein Verständnis der Zusammenhänge zwischen der Menge des umlaufenden Geldes und der Entwicklung des Preisniveaus verdanken wir aber dem spanischen Theologen Martin di Azpilcueta (1492–1586).

Unser grundlegendes Wissen über Inflation ist alt

Azpilcueta hatte beobachtet, dass in Spanien die Preise im Laufe des 16. Jahrhunderts deutlich gestiegen waren. Er äusserte im Jahr 1556 die Vermutung, dass dies wohl ursächlich mit dem Zufluss des durch die Spanier in Südamerika geraubten Silbers zusammenhängen müsse. Silber war damals das Metall, aus dem die gängigen Münzen gemacht waren. Mehr Geld war für ein zunächst begrenztes Warenangebot vorhanden, sodass die Preise zu steigen begannen.

Gleichzeitig stellte Azpilcueta fest, dass die spanische Währung trotz des Zuflusses an vermeintlichem Reichtum im Vergleich zu den anderen europäischen Währungen nicht an Wert gewonnen, sondern verloren hatte. Die in Spanien gestiegenen Preise hatten nämlich dazu geführt, dass ein Teil des Silbers ins Ausland abfloss, um dort die vergleichsweise billigeren Waren zu kaufen. Das wiederum hatte die Nachfrage nach ausländischen Währungen vergrössert und diese verteuert. Oder anders gesagt: Die spanische Währung hatte sich wegen der höheren Inflationsrate abgewertet.

Das ins Ausland abfliessende spanische Silber hat schliesslich auch im Rest von Europa zu einem Anstieg der Inflation geführt. Grafik 2-1 illustriert dies an der Entwicklung der Konsumentenpreise in London. Wirtschaftshistoriker haben diese Phase unserer wirtschaftlichen Entwicklung als die Preisrevolution des 16. Jahrhunderts bezeichnet. Dabei war es damals wie heute so, dass auch eine Reihe von nicht monetären Gründen die Inflationsentwicklung beeinflusst hat. So hat die Klimaabkühlung vom 15. bis zum 19. Jahrhundert, die wir heute als die kleine Eiszeit bezeichnen, gerade im 16. Jahrhundert zu einer Reihe von Jahren mit schlechten Ernten

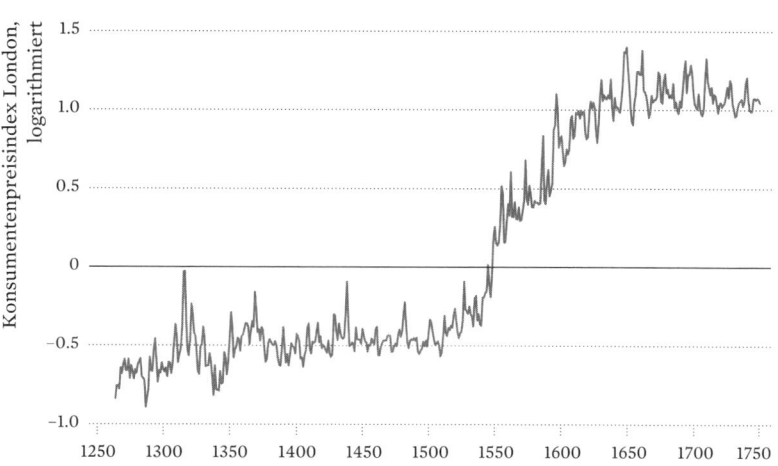

Grafik 2-1: Konsumentenpreise in London

78

und teureren Lebensmitteln geführt. Dennoch herrscht heute unter Wirtschaftshistorikern ein breiter Konsens, dass der starke Zufluss an Silber aus Lateinamerika nachhaltig die Inflation der Zeit mitbestimmt hat.

Allerdings fiel der Inflationsanstieg im 16. Jahrhundert alles andere als dramatisch aus. Nach neueren Schätzungen entsprachen die Edelmetallimporte der Spanier während dieses Zeitraums in etwa 100 Prozent der vor Entdeckung Amerikas bestehenden Metallmenge in Europa. Der Anstieg der durchschnittlichen Inflationsraten betrug, je nach Land unterschiedlich, mit Werten von 1 bis 2 Prozent für unsere Begriffe moderate Werte.

Dafür war der Inflationsanstieg aber sehr nachhaltig. So hat die deutliche Zunahme der Geldmengen nicht zu einem plötzlichen und schnellen Anstieg der Inflation geführt, sondern zu einer jahrzehntelang spürbaren höheren Trendinflation. In unserem Beispiel aus London dauerte diese inflationäre Phase fast 100 Jahre.

Heute nennen wir die Beobachtungen von Azpilcueta zum einen die Quantitätstheorie des Geldes und zum anderen die Kaufkraftparitätentheorie des Wechselkurses. Beide Zusammenhängen haben seit ihrer Entdeckung vor über 450 Jahren eine reichhaltige empirische Bestätigung erfahren: Es gibt einen losen langfristigen Zusammenhang zwischen Geldmenge und Preisniveau und eine deutlich stärkere Verbindung zwischen der Wechselkursentwicklung und der Entwicklung der Preise in den beiden gegeneinander getauschten Währungen. Die Theorie der Kaufkraftparität werden wir am Ende des Finanzmarktkapitels näher beleuchten. Bleiben wir zunächst bei der Inflation.

Auch wenn wir dieses Wissen tatsächlich zu den wichtigen Bausteinen unseres Verständnisses der volkswirtschaftlichen Zusammenhänge zählen dürfen, heisst das noch nicht, dass wir in der Lage wären, gute Inflationsprognosen zu machen. Grafik 2-2 soll dies anhand der von der SNB quartalsweise veröffentlichten Inflationsprognosen illustrieren.

Inflationsprognosen sind kurzfristig schwierig

79

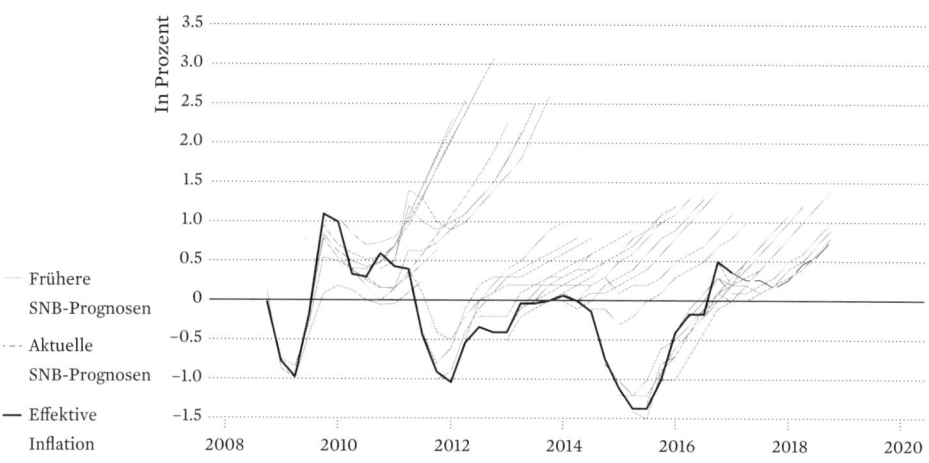

Grafik 2-2: Inflationsprognosen und Inflation in der Schweiz

Die SNB hat den gesetzlichen Auftrag, eine Geldpolitik durchzuführen, die im Gesamtinteresse des Landes ist. Dabei soll sie Preisstabilität unter Berücksichtigung der konjunkturellen Lage gewährleisten. Wichtigste Massgrösse für die Stabilität der Preise ist die Entwicklung der Konsumentenpreise, gemessen an den Preisen des Warenkorbs eines durchschnittlichen Haushalts. In ihrem Leitbild betont sie besonders ihre Verantwortung für die Preisstabilität. Ihr Leistungsausweis im Erreichen dieses Ziels ist denn auch hervorragend. Wenn einer Zentralbank auf der Welt die Kompetenz zugebilligt wird, eine stabilitätsorientierte Geldpolitik zu betreiben, dann ist das bis heute die SNB.

Um die Transparenz ihrer Entscheidungen zu erhöhen, veröffentlicht sie ihre Inflationsprognosen, die allerdings unter der Annahme gemacht werden, dass sich die von ihr betriebene Zinspolitik nicht verändert. Über den in der Grafik dargestellten Zeitraum ist die Geldpolitik ausnahmslos expansiv gewesen, das heisst, die SNB hat entweder die Zinsen gesenkt oder aber die Geldmenge ausgeweitet. In der Konsequenz hätte das zur Folge haben müssen, dass die Inflation höher ausfällt als von der SNB prognostiziert.

Das Bild ist ernüchternd. Kaum ein Prognosepfad der letzten Jahre trifft die tatsächliche Inflationsentwicklung auch nur annähernd. Die SNB hat die zukünftige Inflationsentwicklung lange Zeit deutlich stärker erwartet, als sie dann eingetreten ist. Besonders bedrückend ist, dass sie auch bei kurzfristigen Prognosen weit danebenlag. So lag zum Beispiel die Konsumentenpreisinflation der Schweiz im 2. Quartal 2016 um volle 0,6 Prozentpunkte über dem noch im März 2016 für diesen Zeitraum prognostizierten Wert. Wichtig zu verstehen ist dabei, dass der Hinweis auf die schwache Prognoseleistung der SNB nicht als Kritik an den Schweizer Währungshütern gemeint ist. Es ist schlicht und einfach so, dass wir Ökonomen Inflation schlecht prognostizieren können.

Ein Teil dieser schlechten Prognostizierbarkeit ist dem grossen Einfluss von zwei kurzfristig stark schwankenden Einflussgrössen geschuldet. So ist der Erdölpreis mit seinen grossen Ausschlägen praktisch genauso schlecht zu prognostizieren wie die Schwankungen der Nahrungsmittelpreise. Tatsächlich hat die Geldpolitik der Zentralbank auf diese beiden Grössen auch keinerlei Einfluss, sodass es für eine Zentralbank eigentlich wenig Sinn ergibt, bei der Beurteilung der Inflationsentwicklung auf die Preisveränderung des gesamten Warenkorbs der Konsumenten zu schauen. Relevanter zur Beurteilung der Wirksamkeit ihrer Politik ist es, die Preisentwicklung der weniger volatilen Komponenten der Konsumentenpreise zu beobachten. Bereinigt man die Gesamtinflation um die Effekte von Energie- und Nahrungsmittelpreisen, erhält man ein für die Geldpolitik relevanteres Mass der Inflation: die sogenannte Kernrate der Inflation.

Umso erstaunlicher ist es, dass selbst gestandene Führungspersonen der grossen Zentralbanken dieses Wissen regelmässig zu verdrängen scheinen. So hat Janet Yellen, die damalige Vorsitzende der amerikanischen Zentralbank in den Jahren 2015 und 2016, immer

Auf die Kernrate der Inflation kommt es an

wieder auf die sehr tiefe Inflationsentwicklung hingewiesen, um die durch sie und ihre Vorgänger aufgeblähte Geldmenge und die von ihr festgesetzten historisch niedrigen Zinsen für die Refinanzierung der Banken zu begründen. In dieser Zeit hat ein starker Preisrückgang des Erdöls die Konsumentenpreisinflation auf beinahe null gedrückt. Gleichzeitig lag die Kernrate der Inflation bereits zu Beginn des Jahrs 2015 mit einer Jahresteuerung von 1,6 Prozent ungemütlich dicht an ihrem mittelfristigen Ziel von 2 Prozent. Von November 2015 an lag die Kernrate dann sogar über diesem Wert. Eine geldpolitische Reaktion blieb aber aus.

Dabei sollten eigentlich nicht nur Zentralbanker, sondern wir alle uns bei den meisten unserer wirtschaftlichen Entscheidungen an dieser Kernrate orientieren. Gibt doch die Kernrate einen Wert der Inflation an, der viel genauer die Trendentwicklung der Geldentwertung widerspiegelt als die teilweise erratisch schwankenden Gesamtraten der Teuerung. Wenn das selbst Zentralbanken aber nicht tun, ist es vielleicht gar nicht so erstaunlich, wie wenig Menschen sich die Mühe machen, auf die zugrunde liegenden Inflationsraten zu schauen. Selbst die mit viel Sachverstand unterstützten Finanzmärkte lassen sich in ihrer Erwartungsbildung und ihren Entscheidungen stark durch temporäre Schwankungen der volatilen Komponenten der Inflation beeinflussen.

Kurzfristig kann auch das Auf und Ab der Wechselkurse die Inflation verändern

In kleinen Volkswirtschaften, die einen grossen Teil ihrer Konsumgüter importieren, kommt hinzu, dass auch der Wechselkurs einen erheblichen Einfluss auf die Entwicklung der Preisveränderung des Warenkorbs der Konsumenten hat. Somit lässt sich ein Teil der spektakulär schlechten Prognoseleistungen der SNB auch dadurch erklären, dass der Schweizer Franken in den letzten Jahren eine sehr starke Währung gewesen ist. Damit haben sich Importe verbilligt, und die Preissteigerung hat sich verlangsamt. Die Teuerung ist sogar nach den starken Aufwertungsschüben in den Jahren 2011 und 2015 für jeweils gut ein Jahr negativ geworden.

So volatil und unvorhersehbar die kurzfristigen Schwankungen von Wechselkursen, Energie- oder Nahrungsmittelpreisen auch sein mögen, paradoxerweise stammt ein wichtiger Bestandteil unseres brauchbaren Wissens zur kurzfristigen Inflationsentwicklung gerade aus diesen Schwankungen. Dies liegt daran, dass Inflationsraten jeweils als prozentuale Veränderungen der Preise gegenüber dem Vorjahr berechnet werden. Wenn eine Preisveränderung in diesen volatilen Komponenten sich als permanent erweist, verschwinden die Inflationseffekte von solchen Verschiebungen nach einem Jahr wieder aus den Daten.

Betrachten wir ein Beispiel: Am 15. Januar 2015, nach der Aufhebung der Wechselkursbegrenzung durch die SNB, hat sich der Franken stark aufgewertet. Importierte Automobile, Kleidungsstücke oder Lebensmittel wurden dadurch im Vergleich zum Vorjahr deutlich billiger, und es kam zu einem starken Inflationsrückgang. Nach dem 15. Januar 2016 sind diese inflationsdämpfenden Effekte aber wieder verschwunden. Dannzumal verglichen sich die tieferen Importpreise des Jahrs 2016 nämlich mit der bereits tieferen Basis der Importpreise des Jahrs 2015. Die Inflationsrate beginnt in einer solchen Situation, je nachdem, wie schnell die Importeure ihre Einkaufspreisvorteile im Vorjahr an die Konsumenten weitergegeben haben, allmählich wieder zu steigen. Wir Ökonomen bezeichnen diese recht gut prognostizierbare Entwicklung als Basiseffekt.

Auch wenn wir berücksichtigen, dass Energie- und Nahrungsmittelpreise, aber auch Wechselkursverschiebungen temporäre Schwankungen der Inflationsrate von bis zu etwas mehr als einem Jahr zur Folge haben können, lassen sich damit immer noch nicht die schlechten Prognoseleistungen der Ökonomen für Inflationsraten erklären. Diese Beobachtung hinterlässt natürlich einen faden Nachgeschmack, wenn man an die Geldpolitik denkt. Immerhin verlassen viele von uns sich darauf, dass die Zentralbanken mit ihrer Geldpolitik für Preisstabilität sorgen werden. Wie soll aber eine Zentralbank Preisstabilität erreichen, wenn sie offensichtlich grosse

Schwierigkeiten hat zu antizipieren, wie sich die zukünftige Inflation entwickelt?

Inflation ist zwar langfristig ein monetäres Phänomen …

Der erste Schlüssel zur Beantwortung dieser Frage liegt in dem Wissen, das Martin di Azpilcueta uns gegeben hat. In der neueren Zeit verbinden wir allerdings einen anderen Namen mit der Vorstellung, dass Inflation langfristig etwas mit Geldmengenentwicklung zu tun hat. Für eine ganze Generation von Ökonomen ist dieser Zusammenhang eng mit der Arbeit des amerikanischen Ökonomen Milton Friedmann (1912–2006) verbunden. Friedmanns berühmtestes Zitat lautet wohl:

«Inflation ist in dem Sinne immer und überall ein monetäres Phänomen, indem man diese nur durch einen schnelleren Anstieg der Geldmenge als der Produktion erzeugen kann.»

Für viele Ökonomiestudenten der letzten Jahrzehnte des vergangenen Jahrhunderts war damit klar, dass es einen sehr engen kausalen Zusammenhang zwischen Geldmengenentwicklung und Wertveränderungen des Geldes geben muss. Mit dieser Vorstellung wuchs die fast mechanische Einschätzung, dass man nur die Geldmenge schneller wachsen lassen müsse, um die Inflationsrate zu steigern. Das war auch der Grund, warum früher die Deutsche Bundesbank und die SNB jährliche Geldmengenwachstumsziele definierten, um so die Inflationsentwicklung zu steuern.

… Geldmengen schaffen aber nur ein Inflationspotenzial

Heute wissen wir, dass diese Interpretation zu eng ist. Eine Ausweitung der Geldmenge ist zwar die Voraussetzung dafür, dass Inflation entstehen kann. Das Ausmass der Geldmengenausweitung bestimmt dabei eine Art Potenzial für die zukünftige Veränderung des Preisniveaus. Ob und wie schnell dieses Potenzial auch tatsächlich in Inflation umgesetzt wird, hängt aber von anderen Faktoren ab.

Gerade auf diesen Zusammenhang weisen die Arbeiten zum Thema Inflation des Basler Ökonomen Peter Bernholz (*1929) hin. Bernholz stellt nüchtern fest, dass das durch die Zentralbanken geschaffene Geld auch im Wirtschaftskreislauf eingesetzt werden muss, damit es inflationär wirken kann. Wird das Geld gehortet oder fehlt es an der Bereitschaft oder Fähigkeit der Kreditwirtschaft, dieses Geld weiterzuverleihen, kann auch eine deutliche Erhöhung der Basisgeldmenge lange Zeit eine nur mässig inflationäre Wirkung entfalten.

Angesichts der in den vergangenen Jahren spektakulär gewachsenen Geldmengen gibt das Hoffnung, dass die Zentralbanken noch Zeit haben, das von ihnen geschaffene Inflationspotenzial durch eine Verringerung der Basisgeldmenge wieder zu reduzieren. Es gibt in der Geschichte allerdings keinen Präzedenzfall dafür, dass das jemals gelungen wäre. Grafik 2-3 zeigt die Entwicklung der Geldmengen in Grossbritannien, den Vereinigten Staaten und in der Schweiz seit dem Jahr 1850. Die Geldmenge kennt anscheinend nur eine Richtung, und die heisst aufwärts.

Wer genau hinschaut, erkennt, dass sich die Aufwärtstendenz in den Geldmengenstatistiken jeweils während der grossen Kriege, während des Aufschwungs der 1950er-Jahre und dann noch einmal ab der Mitte der 1970er-Jahre beschleunigt hat. Dieser letzte grosse Anstieg war die unmittelbare Folge der Aufhebung des Nachkriegs-

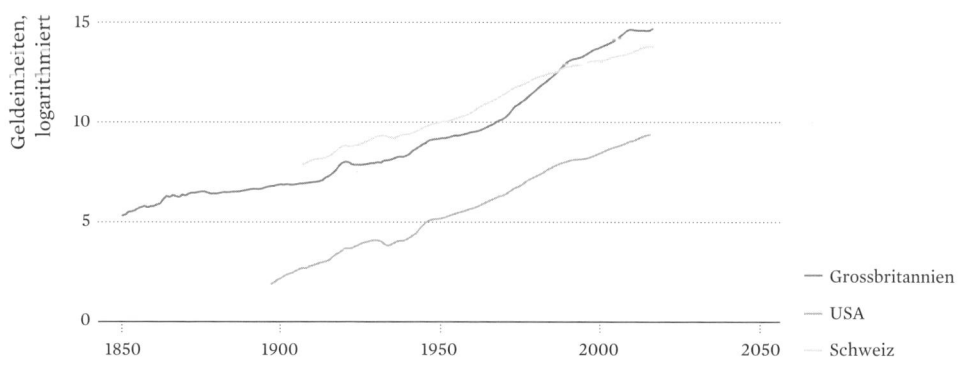

Grafik 2-3: Konsumentenpreise in London

währungssystems, bei dem die meisten Währungen in ihrem Wert an das Gold gebunden waren. So konnte man bis 1974 noch bei der US-Notenbank für 35 US-Dollar eine Unze Gold eintauschen. Seitdem dieser Anker fehlt, haben sich in den meisten entwickelten Volkswirtschaften deutlich höhere Geldmengenwachstumsraten und höhere Inflationsraten eingestellt, als wir sie in den Jahrzehnten davor gekannt hatten.

Der Goldstandard ist keine Lösung für das Inflationsproblem

Damit soll nicht gesagt sein, dass ein Gold- oder Silberstandard eine Lösung für das Inflationsproblem darstellt. Einige der schlimmsten Phasen der Inflation sind gerade in Zeiten zustande gekommen, in denen eine Bindung der Währung an Edelmetalle bestand. Diese paradoxe Entwicklung lässt sich so erklären, dass sich das scheinbar verlässliche Austauschverhältnis von Währungseinheit zum jeweiligen Edelmetall durch die staatlichen Autoritäten verändern lässt. Wer die Wirtschaftsgeschichte betrachtet, wird immer wieder auf Phasen stossen, in denen der Edelmetallgehalt von Münzen durch den Staat gesenkt wurde, wodurch es sehr wohl zu sehr starker Inflationsentwicklung kam.

Selbst wenn ein Staat es schafft, das Austauschverhältnis von Edelmetall zu Währungseinheit einigermassen konstant zu halten, sind die Erfahrungen mit solchen Währungssystemen nicht positiv. Ein Blick zurück in das 19. Jahrhundert lehrt uns, dass die nur allmählich gewachsene Menge an Edelmetallen zwar zu durchschnittlich niedrigen Inflationsraten geführt hat, es dennoch aber inflationäre Phasen mit stark steigenden Preisen gab, die dann notgedrungen durch deflationäre Phasen deutlich fallender Preise abgelöst wurden.

Gerade diese Phasen der Deflation sind für ein Wirtschaftssystem aber schwer zu verkraften. Fallende Preise werden von Konsumenten sicherlich zunächst einmal positiv bewertet. Wenn dann in der Folge die Produzenten schliesslich auch die Löhne senken müssen, um bei gefallenem Umsatz überleben zu können, ist das aber für die Betroffenen nicht mehr so positiv. Tatsächlich beobachten wir, dass Lohnsenkungen nur in ganz schwierigen Phasen der Wirtschaftsentwicklung durchsetzbar sind. Wenn man als Arbeitgeber aber die Löhne nicht oder nur sehr schwer senken kann, gibt es einen anderen Ausweg, die Kostensituation in den Griff zu bekommen: die Entlassung von Mitarbeitern. Eine Folge des Gold- und Silberstandards war denn auch, dass Rezessionen regelmässig durch solche Entlassungswellen angesichts deflationärer Preisentwicklung grösser und länger wurden, als eigentlich nötig gewesen wäre.

Unter den meisten Ökonomen hat sich angesichts dieses Wissens um die Zusammenhänge der Konsens gebildet, dass aufgrund dieser Rigidität der Löhne nach unten eine kleine positive Inflationsrate und nicht die vollkommene Preisstabilität das Ziel der Geldpolitik sein sollte. Damit können Unternehmungen in einer schwierigen Lage zumindest mit einem Nullwachstum der Löhne eine reale Entlastung ihrer Kostenseite erreichen, ohne gleich Mitarbeiter entlassen zu müssen.

Angesichts des nur langsam wachsenden Angebots an Edelmetallen und des starken Wachstums der Weltwirtschaft der vergangenen Jahrzehnte ist es übrigens auch kaum vorstellbar, dass ein Metallstandard eine solche moderat positive Inflationsentwicklung überhaupt zur Folge hätte haben können. Die im Vergleich zur Wirtschaftsleistung kleiner werdende Geldmenge hätte mit grosser Wahrscheinlichkeit dauerhaft fallende Preise zur Folge gehabt.

Für Hyperinflation braucht es mehr als grosse Geldmengen

Während uns also eine von einem realen Anker gelöste Geldmengenentwicklung erlaubt hat, die Gefahr einer strukturellen Deflation zu vermeiden, entsteht mit der Möglichkeit einer willkürlichen Festlegung der Geldmenge die Gefahr, dass diese dauerhaft zu hoch angesetzt wird und damit höhere Inflationsraten resultieren als die erwünschten moderaten Werte. Diese Gefahr entsteht immer dann, wenn darüber hinaus das durch den Staat gedruckte Geld zur Finanzierung von Staatsausgaben verwendet wird.

Peter Bernholz hat in seiner Forschung dokumentiert, dass praktisch alle Phasen der Hyperinflation dadurch ausgelöst wurden, dass die Geldpolitik Mittel für Staatsausgaben zur Verfügung gestellt hat. Ganz typisch ist in solchen Situationen auch, dass die Menschen mit der Zeit jegliches Vertrauen in die wirtschaftlichen Institutionen ihres Landes verlieren. Parallel zur Inflation entwickelt sich dann eine eigentliche Staatskrise.

In diesem Sinne müssen wir Gideon Gono in seiner Zuversicht enttäuschen. Solange die Vereinigten Staaten, Grossbritannien, die Eurozone, die Schweiz oder Japan die jetzt neu geschaffenen enormen Geldmengen nicht direkt für eine Staatsfinanzierung verwenden, scheint die Geldpolitik zwar bedenklich grosse Geldmengen zu schaffen, eine Ähnlichkeit mit dem, was Gono in Simbabwe angerichtet hat, ist aber zunächst einmal nur oberflächlich gegeben.

Unabhängige Zentralbanken verhindern Staatsfinanzierung durch die Notenpresse

Eine der wichtigsten Lernerfahrungen aus dem Wissen um die Gefährlichkeit von mit der Notenpresse finanzierten Ausgabenprogrammen des Staats ist denn auch die Erkenntnis gewesen, dass es wichtig ist, dass eine Zentralbank von der Regierung weitestgehend unabhängig sein muss. Natürlich muss die Leitung einer solchen geldpolitisch verantwortlichen Behörde von kompetenter Stelle ernannt werden. In vielen Ländern ist dies sogar die Regierung. Diese Ernennung sollte aber im Idealfall unbegrenzt bis zur Pensionierung oder aber auf einen langen Zeitraum und ohne Wiederwahlmöglichkeit erfolgen. Nur so kann sichergestellt werden, dass die Zentralbanker ihre Geldpolitik nicht an den Interessen ihrer Wahlbehörde ausrichten.

Damit entstehen im Bereich der Geldpolitik sehr mächtige Institutionen, die kaum noch einer demokratischen Kontrolle unterliegen. Vielleicht lässt sich so erklären, dass in den letzten Jahren immer wieder einige besorgte Ökonomen das deutsche Bundesverfassungsgericht angerufen haben. Die Befürchtung war, dass die EZB im Rahmen ihrer Anleihenkaufprogramme letztlich eine Art Finanzierung der Budgetdefizite der Mitgliedsländer vorgenommen habe, die nach den europäischen Verträgen, wie wir gesehen haben, aus guten Gründen verboten ist.

Art und Umfang der Programme haben die Richter aber bisher nicht als eine direkte Finanzierung von Staatsausgaben taxiert und die entsprechenden Klagen jeweils abgewiesen. Das liegt daran, dass juristisch betrachtet erst dann von einer Finanzierung der Defizite durch die Zentralbanken ausgegangen werden kann, wenn die Zentralbank ohne Gegenleistung Geld druckt, damit die Regierung ihre Rechnungen bezahlen kann. Der Kauf von Staatsanleihen auf dem Markt erscheint dementsprechend so lange als unproblematisch, wie die Regierung ihrer Verpflichtung zur Rückzahlung der Obligationen nachkommt.

Für Ökonomen ist die Sache allerdings nicht ganz so einfach. Was ist, wenn die Rückzahlung der Obligationen durch neue Obligationen erfolgt, die wiederum durch die Zentralbank gekauft werden? Wird dann nicht die Rückzahlung zur Fiktion? Und wie ist zu beurteilen, dass durch die Zusatznachfrage nach Staatsanleihen auch das Zinsniveau nach unten gedrückt wird? Wird damit nicht eine budgetäre Entlastung der Staaten erreicht, die man als Staatsfinanzierung qualifizieren muss?

Das sind aus ökonomischer Sicht berechtigte Einwände. Mit dem Grund, warum wir eine strikte Trennung von Fiskal- und Geldpolitik für richtig halten, haben diese aber wenig zu tun. In keiner Dimension vergleicht sich die Geldpolitik der EZB mit derjenigen der Länder, die in der Vergangenheit eine Hyperinflation erlebt haben. Die Geldpolitik ist qualitativ und auch quantitativ anders zu beurteilen.

Obwohl die Klagen gegen die EZB dementsprechend wohl nur schwach begründet waren, erscheint es aus staatspolitischer Perspektive gut, dass zumindest in der Eurozone die Geldpolitik zwar

unabhängig von den Regierungen, aber nicht jenseits einer rechts-
staatlichen Kontrolle handelt. Leider ist eine solche Kontrolle der
unglaublich mächtig gewordenen Zentralbanken nur in der Eurozone gegeben.

Wie kommt das Geld in den Wirtschaftskreislauf?

Wie wir gesehen haben, erscheint angesichts der institutionellen
Unabhängigkeit von Geld- und Fiskalpolitik die unmittelbare Gefahr
einer Phase mit sehr hohen Inflationsraten als Folge des exorbitan-
ten Geldmengenanstiegs als gering. Dennoch müssen wir nach unserer Einschätzung damit rechnen, dass mittelfristig die Inflationsraten steigen werden. Wie kommt es nun dazu, dass aus dem durch
ein Wachstum der Basisgeldmenge geschaffenen Inflationspotenzial
tatsächlich Inflation resultiert?

Zum einen haben wir bereits erwähnt, dass das durch die Zentralbanken geschaffene Geld seinen Weg in die Wirtschaft finden und
dort nachfragewirksam werden muss. Grafik 2-4 zeigt, wie sich das

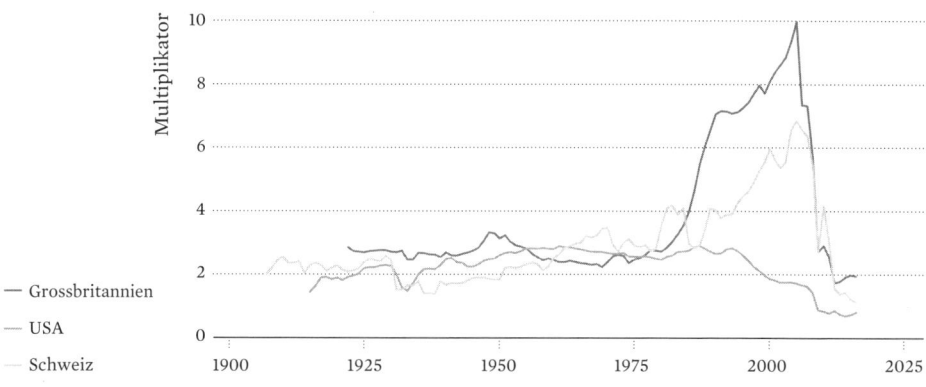

Grafik 2-4: Geldmengenmultiplikator

90

Verhältnis von dem in der Wirtschaft befindlichen zu dem von den Zentralbanken geschaffenen Geld seit dem Jahr 1900 in Grossbritannien, den Vereinigten Staaten und in der Schweiz entwickelt hat. Ganz deutlich ist, dass diese Beziehung bis Anfang der 1980er-Jahre relativ stabil war. Bis zum Beginn der Finanzkrise sind die in der Wirtschaft kursierenden Geldmengen dann deutlich angestiegen. Mit der Finanzkrise kam es schliesslich zu einer einseitig starken Ausweitung der Basisgeldmenge, was einen schnellen Rückgang des Verhältnisses von Basisgeldmenge zu den weiteren Geldmengenaggregaten geführt hat. Wir nennen diese Statistik den Geldschöpfungsmultiplikator, weil das Bankensystem über das Ausleihen der von der Zentralbank erhaltenen Liquidität selbstständig eine Vergrösserung der in der Wirtschaft zirkulierenden Geldmenge bewirken kann.

So wird ein Kredit vom Kreditnehmer in der Regel genutzt, indem er mit dem ihm zur Verfügung stehenden Geld etwas kauft oder aber eine Leistung bezahlt. Damit wandert das Geld an einen neuen Empfänger weiter. Die Bank des Empfängers kann ihrerseits die empfangene Einlage grösstenteils wieder ausleihen. Einen kleinen Teil wird sie zurückhalten, um für den Fall liquide zu sein, dass der Empfänger sein Guthaben beziehen will. Der Anteil der ursprünglichen Summe, der als Kredit weiterverliehen wird, landet wieder auf einem Konto eines anderen Empfängers. Dies ist ein Prozess, der sich mehrfach wiederholt, bis die gesamte ursprüngliche Summe durch die Banken zur Liquiditätsvorsorge einbehalten wird. In der Zwischenzeit ist aber die Summe an Geldern, die die Banken als Einlagen verwalten und an Krediten gewähren, auf ein Mehrfaches des ursprünglich durch die Zentralbank zur Verfügung gestellten Betrags angewachsen.

Wie gross das Verhältnis von in der Wirtschaft geschaffener Geldmenge zu der durch die Zentralbanken geschaffenen Basisgeldmenge ist, hängt neben anderen Faktoren auch davon ab, wie vorsichtig die Banken bei ihren Ausleihungen sind und wie viel Kredit überhaupt durch die Realwirtschaft nachgefragt wird. Ganz offen-

Geldschöpfung hängt auch von Kreditangebot und -nachfrage ab

sichtlich hängt diese Geldschöpfung damit sehr stark von den Erwartungen der Wirtschaftsakteure ab. Wer optimistisch ist, dass seine Pläne aufgehen, wird sich trauen, einen Kredit für die Finanzierung aufzunehmen. Wer Optimismus verspürt, dass er das verliehene Geld zurückbekommt, wird sein Geld verleihen oder aber direkt investieren.

Unsere Grafik zum Geldschöpfungsmultiplikator zeigt, wie sehr dieser über lange Zeiträume schwanken kann. Der Anstieg der Multiplikatoren seit dem Zweiten Weltkrieg reflektiert dabei nicht nur den Optimismus der Jahre des Wiederaufbaus. Sicherlich spielen auch institutionelle Veränderungen eine wichtige Rolle. So hat die Aufhebung der Währungsbindung an das Gold zur Mitte der 1970er-Jahre neue Freiräume für die Entwicklung des Bankensystems geschaffen. Gewiss hat auch die Effizienzsteigerung im Zahlungsverkehr dazu beigetragen, dass die Wirtschaft heute ihren Waren- und Dienstleistungsumsatz mit weniger Basisgeldmenge abwickeln kann. Ganz entscheidend scheint ohne Zweifel auch die Deregulierung des Finanzsektors in den 1980er- und 1990er-Jahren mitverantwortlich zu sein für einen sehr starken Anstieg der Verschuldung von Finanzfirmen untereinander. So reflektieren die sehr unterschiedlichen Grössenordnungen der Multiplikatoren der betrachteten Länder vor der Finanzkrise sicherlich auch die relative Bedeutung des jeweiligen Finanzplatzes und die Art der dort getätigten Geschäfte.

Die Geldschöpfung ist schwer zu prognostizieren ... Der Blick auf die Grafik macht auch deutlich, wie schwer Veränderungen im Geldschöpfungsmultiplikator zu prognostizieren sind. Während in den letzten 20 Jahren vor der Finanzkrise die Zahlen vergleichsweise stabil waren und damit eine relativ gute Kontrolle des Geldumlaufs über die Steuerung der Basisgeldmenge durch die Zentralbanken möglich erschien, sieht die Lage aktuell ganz anders aus. Ganz offensichtlich setzt die Wirtschaft seit einiger Zeit die durch die Zentralbanken zur Verfügung gestellte Geldmenge nicht im gewohnten Ausmass in Kredite um.

Das hat sicherlich eine ganze Reihe von Gründen. Zum einen ist das Verhalten des Finanzsektors massgeblich verantwortlich für diese Entwicklung. So sehen sich heute die Banken mit widersprüchlichen Anforderungen durch die Regierungen konfrontiert. Auf der einen Seite sollen sie ihre vor der Finanzkrise aus den Fugen geratenen Bilanzen wieder gesünder aufstellen. Insbesondere sind sie dazu angehalten, mehr Eigenkapital im Vergleich zu ihren Ausleihungen zu halten. Da es aber für die Banken immer noch schwer ist, Investoren zu finden, die ihnen Kapital zur Stärkung ihrer Bilanz geben, ist dieser Forderung der Regulatoren praktisch nur dadurch nachzukommen, dass bei Ausleihungen auch gegenüber der Realwirtschaft starke Zurückhaltung an den Tag gelegt wird. Auf der anderen Seite sollen die Banken den Unternehmen mehr Kredite geben, damit die Wirtschaft schneller wächst. Das ist ein Spagat, der für viele Banken schwer zu bewältigen ist.

... und ist aktuell sehr eingeschränkt

Kommt hinzu, dass nicht nur die Banken bei der Kreditvergabe auf der Bremse stehen. Auch eine schwache Nachfrage nach Krediten ist wohl ein wichtiger Grund für das langsame Wachsen der breiteren Geldmengenaggregate gewesen. So verfügen bis heute viele Unternehmen der Realwirtschaft über hohe Gewinne und damit die Möglichkeit der Eigenfinanzierung eines Grossteils ihrer Investitionen. Gleichzeitig hat die Tatsache, dass die Zentralbanken so extrem aggressiv in ihrer Geldpolitik waren, sicherlich auch viele potenzielle Kreditnehmer verunsichert. Es ist nicht leicht, optimistisch in die Zukunft zu blicken, wenn die wichtigste wirtschaftspolitische Institution des Landes mit besorgter Miene historisch einmalige Massnahmen zur Stützung der Wirtschaft ergreift.

Die zentrale Rolle der Inflationserwartungen

Inflations-
erwartungen
bestimmen
einen Grossteil
der Inflation Tatsächlich ist eine zentrale Erkenntnis der Ökonomie zum Thema Inflation, dass gerade die Erwartungen der Wirtschaftsakteure zentral für den Verlauf der Inflationsraten sind. Fast erscheinen Inflationserwartungen so etwas wie selbsterfüllende Prophezeiungen zu sein. Das liegt daran, dass wir bei allen vorausschauenden Transaktionen unsere Inflationserwartungen bewusst oder unbewusst zugrunde legen.

Nehmen Sie langfristige Lieferverträge zwischen Unternehmen als Beispiel. Die erwartete Preisentwicklung bestimmt die Erwartungen der zukünftigen Kosten und damit auch die für die Vertragslaufzeit festgeschriebenen Absatzpreise. Ganz zentral sind Inflationserwartungen auch bei der Kreditvergabe. Gerade bei Krediten zu einem am Beginn der Laufzeit festgelegten festen Zins wird über die Inflationserwartungen gerade dieser Zins bestimmt. Das liegt daran, dass diejenigen, die Geld verleihen möchten, sich gut überlegen werden, wie viel Kaufkraft ihr Geld haben wird, wenn der Kredit zurückgezahlt wird. Damit beinhalten auch die Kosten des für Investitionen eingesetzten Kapitals eine wichtige, dauerhaft durch die Inflationserwartungen gebildete Komponente.

Schliesslich sind auch die Lohnkosten von der erwarteten Inflation abhängig. In den meisten Industrienationen werden Löhne im Voraus zwischen Arbeitgebern und Arbeitnehmern ausgehandelt. Diesen Verhandlungen liegen in der Regel eine Reihe sehr unterschiedlicher Ziele beider Seiten zugrunde. Ein wichtiger Bestandteil für die Arbeitnehmer ist dabei die Sicherung der Kaufkraft der bisherigen Löhne. Dementsprechend orientieren sich Lohnforderungen immer auch an der Inflationserwartung.

Inflationserwartungen haben also auf viele der in einer Marktwirtschaft festgesetzten Preise dadurch einen grossen Einfluss, dass sie die Kosten der Produktion im Voraus bestimmen. In einer Wettbewerbssituation wird diese Kostenbasis aber immer einen wichtigen Anker auch für die Absatzpreise der erzeugten Dienstleistungen und Produkte sein.

Für die weitere Inflationsentwicklung entscheidend ist also die Frage, wie sich Inflationserwartungen bilden. Über dieses scheinbar esoterische Thema haben sich Ökonomen über viele Jahre die Köpfe heiss geredet. Auf der einen Seite stehen jene, die meinen, dass die Menschen alle zur Verfügung stehenden Informationen benutzen, um rational ihre Inflationserwartungen zu bilden. Manche Ökonomen sind dabei so weit gegangen, dass sie angenommen haben, dass die Menschen praktisch immer richtig die Inflationsrate von morgen antizipieren. Auf der anderen Seite stehen jene, die meinen, dass die Menschen nicht dumm sind und verstehen, dass sie die Inflationsrate von morgen nicht prognostizieren können, und in Ermangelung besseren Wissens annehmen, dass die gestrige Inflationsrate auch morgen gelten wird.

Betrachtet man die bereits beschriebene miserable Prognosequalität der Ökonomen beim Thema Inflation, wird schnell deutlich, dass die Annahme rationaler Voraussicht der Zukunft empirisch nicht haltbar ist. Die vorhandenen Daten aus Erhebungen zu Inflationserwartungen legen nahe, dass die Bildung der Inflationserwartungen einem komplexen Prozess unterliegt, der sich stark an der jüngsten Inflationserfahrung orientiert.

Grafik 2-5 basiert auf einer Umfrage der Universität von Michigan und stellt die amerikanische Inflation der tatsächlichen Inflationsentwicklung gegenüber. Ganz offensichtlich bewegen sich die Inflationserwartungen in grosser Parallelität zu der gemessenen Inflationsentwicklung. Tatsächlich scheinen sich unsere Erwartungen für die zukünftige Inflationsentwicklung sehr eng an der Inflationsentwicklung der jüngeren Vergangenheit zu orientieren.

Gerade diese Verankerung der Inflationserwartung durch die Erfahrungen der jüngeren Vergangenheit ist ein zentraler Punkt der Geldpolitik der Zentralbanken geworden. So haben wir gelernt, dass es sich als Zentralbank lohnt, Inflationsraten, die über dem eigenen

Inflationserwartungen bilden sich anhand der aktuellen Inflationserfahrungen

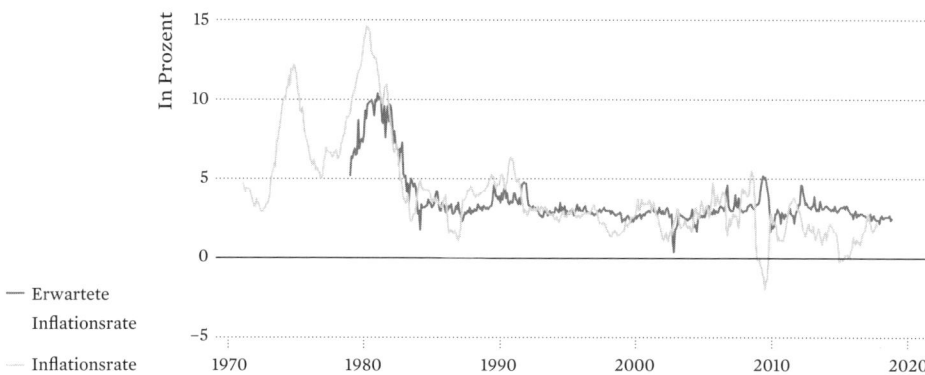

Grafik 2-5: US-Inflation und Inflationserwartungen

Zielwert liegen, mit aller Härte zu bekämpfen. Haben sich die Wirtschaftsakteure einmal daran gewöhnt, dass die Inflationsraten relativ hoch sind, zementieren sie diese Inflationsraten über ihre Erwartungen in all ihren vorausschauend abgeschlossenen Verträgen.

Leider scheint dieser Zusammenhang auch in die andere Richtung zu funktionieren. So haben die im Zuge der Finanzkrise und der folgenden Rezession auf sehr tiefe Werte gefallenen Inflationsraten dazu geführt, dass die Menschen aktuell mit sehr niedrigen zukünftigen Inflationsraten rechnen. Der Verfall der Ölpreise seit dem Jahr 2014 hat dann darüber hinaus dazu beigetragen, dass Inflationsraten nochmals unter die bereits tiefen erwarteten Werte gefallen sind. Zu tiefe Inflationserwartungen können für die Geldpolitik aber auch zum Problem werden, weil dann die bereits dargelegte Problematik der Lohnrigidität auftritt. Bei einer etwaigen Verlangsamung des Wachstumstempos wären die Folgen für den Arbeitsmarkt überproportional und unnötig belastend. Daher ist es kein Wunder, dass die Zentralbanken in den vergangenen Jahren an ihrer expansiven Geldpolitik länger festgehalten haben als in früheren Zyklen. Es galt zu verhindern, dass die Inflationserwartungen allzu tief sinken.

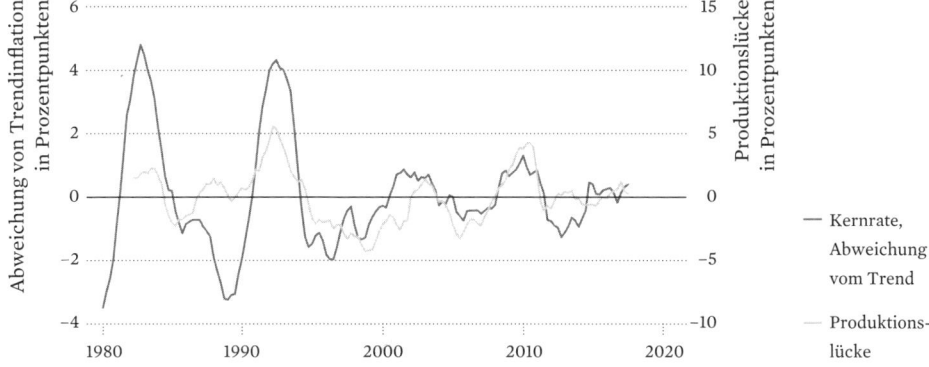

Grafik 2-6: Abweichung der Inflation von ihrem Trend und die Produktionslücke

Während wir also gesehen haben, dass die Ausweitung der Geldmenge ein erhebliches Potenzial für zukünftige Inflation schafft, dürfen wir ebenfalls konstatieren, dass dieses Inflationspotenzial bisher nicht ausgeschöpft worden ist, weil die Inflationserwartungen vorläufig niedrig geblieben sind. Diese Inflationserwartungen geben der tatsächlichen Inflationsentwicklung so etwas wie einen Trend vor. Wenn es stimmt, dass unsere Inflationserwartungen stark durch unsere aktuelle Inflationserfahrung geprägt sind, dann ist mit einem Anstieg der Inflationserwartungen wohl erst dann zu rechnen, wenn die tatsächliche Gesamtrate der Inflation über diesem Trend zu liegen beginnt.

Die Abweichungen der tatsächlichen Inflation von den erwarteten Werten haben neben den bereits angesprochenen temporären Effekten von Energie-, Nahrungsmittelpreisen und Wechselkursen auch eine realwirtschaftliche Begründung. Tatsächlich gibt es einen Zusammenhang zwischen der Entwicklung der Kernrate der Inflation und der Konjunktur. Grafik 2-6 stellt die Abweichung der Kernrate der Inflation von ihrem durch die Inflationserwartungen bestimmten Trend und die im ersten Kapitel beschriebene Grösse der

Inflation ist kurzfristig aber auch ein Wachstumsphänomen

97

Produktionslücke der Schweiz einander gegenüber. Die Zahlen machen deutlich, dass in Phasen, in denen die Volkswirtschaft unter ihrem Trend oder anders ausgedrückt bei unterausgelasteten Kapazitäten operiert, in der Regel auch die Inflationsraten unter ihrem Trendwert notieren. Umgekehrt sind wir in Boomphasen, in denen das Volkseinkommen über seinem nachhaltig erzielbaren Trendwert liegt, mit relativ hohen Inflationsraten konfrontiert.

Wer genau hinschaut, sieht, dass die Veränderungen im Niveau der inflationsbereinigten Wirtschaftsaktivität den Veränderungen in der Kernrate der Inflation vorauslaufen. Dahinter steckt ein komplizierter Anpassungsprozess. So beobachten wir, dass Gewerkschaften bei ihren Lohnforderungen nicht nur auf die Inflationserwartungen schauen, sondern auch die jüngere Wachstums- und Beschäftigungsentwicklung reflektieren. Dabei steigen häufig nach einem guten Wachstumsjahr die Lohnforderungen. Ein angespannter Arbeitsmarkt mit wenigen qualifizierten Beschäftigungssuchenden macht diese Forderungen auch durchaus durchsetzbar. Das Vorgehen, zurückschauend eine Kompensation für die Beschäftigten zu fordern, hat wenig mit irrationalem Verhalten zu tun, wie manche Ökonomen meinen. Immerhin hatten wir ja bereits festgestellt, dass Konjunkturprognosen über einen Horizont von einem Jahr sehr unzuverlässig sind. Vor diesem Hintergrund scheint es ganz vernünftig, die Beute erst zu verdienen, bevor man sie verteilt.

Auch bei den Absatzpreisen erscheint ein Zusammenhang zwischen konjunktureller Lage und Preisentwicklung nachvollziehbar. Insbesondere bei Waren und Dienstleistungen, bei denen die Konkurrenz regional begrenzt ist oder die ein gewisses Alleinstellungsmerkmal besitzen, ist denn auch feststellbar, dass sich in wirtschaftlich guten Zeiten Preissteigerungen realisieren lassen. Erhöhte Kapazitätsauslastungen bis hin zu Kapazitätsengpässen machen Preisanpassungen nach oben möglich. In wirtschaftlich schwachen Zeiten passiert genau das Gegenteil. Vermehrter Wettbewerb um weniger Nachfrage führt eben auch zu Preiswettbewerb, der die Preise und Inflationsraten drückt.

Inflationsausblick

Damit haben wir alle Bausteine unseres ökonomischen Wissens zusammengetragen, um einen Blick in die Zukunft der Inflation zu wagen. Die expansive Geldpolitik hat mit der Schaffung von Unmengen an Basisgeld das Potenzial für einen deutlichen Anstieg der Inflation geschaffen. Die Geldschöpfungsmultiplikatoren fallen aber in praktisch allen Industrienationen immer noch. Tatsächlich ist die von den privaten Haushalten und Unternehmen gehaltene Geldmenge in den letzten Jahren mit deutlich langsameren Raten gewachsen als die Basisgeldmenge. Seit Beginn der Finanzkrise haben die weiten Geldmengenaggregate, die das in der Wirtschaft umlaufende Geld messen, in den Vereinigten Staaten um 65, in der Eurozone um 26 und in der Schweiz um 55 Prozent zugelegt. Damit sollte die unmittelbare Möglichkeit der Wirtschaft, das durch die Zentralbanken geschaffene Inflationspotenzial in steigende Inflationsraten umzusetzen, deutlich kleiner ausfallen, als die enormen Wachstumsraten der durch die Zentralbanken geschaffenen Liquidität vermuten lassen.

Die Inflation wird allmählich wieder steigen

Das liegt sicherlich auch daran, dass die Inflationserwartungen immer noch sehr niedrig sind. Doch das könnte sich bald ändern. Die vergangenen Jahre waren in der Folge der Finanzkrise in vielen Ländern geprägt von grossen Produktionslücken. Damit gab es einen realen Grund dafür, dass die Inflation tiefer lag als die durch die Inflationserwartungen bestimmten Trendwerte der Inflation. Ein weiterer Grund für fallende Inflationserwartungen lag in dem erwähnten inflationsdämpfenden Effekt des Verfalls der Ölpreise. Die Gesamtrate der Inflation wurde durch diese Entwicklung nochmals deutlich nach unten gedrückt. In den Vereinigten Staaten führte das streckenweise zu Inflationsraten, die 1,5 bis 2 Prozentpunkte unter der Kernrate lagen. In der Schweiz kamen die inflationsdämpfenden Effekte der Aufwertung des Frankens hinzu. Kombiniert mit dem bereits beschriebenen Erdölpreiseffekt lagen die Inflationsraten der Eidgenossenschaft bis zu 2 Prozentpunkte unter der Trendrate der

Inflation. All diese temporären Effekte sind gegen Ende des Jahrs 2017 ausgelaufen, und die Konsumentenpreisinflation liegt wieder auf oder über ihrer Kernrate.

Wenn die Gesamtrate der Inflation uns in den vergangenen Jahren immer wieder positiv mit tieferen Werten überrascht hat, sollten wir nun mit einer Reihe von Jahren mit negativen Inflationsüberraschungen konfrontiert sein. Die anhaltend gute Konjunktur sollte in den Vereinigten Staaten zu einer allmählichen Überauslastung der volkswirtschaftlichen Kapazitäten führen, was für anziehende Kerninflation und steigende Inflationserwartungen spricht. Auch in der Eurozone scheinen Kernraten der Inflation nahe bei 1 Prozent angesichts der dort immer noch vorhandenen grossen Produktionslücken sogar recht hoch. Damit droht, dass sowohl im US-Dollar als auch im Euro die jeweiligen Zentralbanken ihr Inflationsziel mittelfristig überbieten werden.

Da darüber hinaus ein Ende des aktuellen Aufschwungs in den Industrienationen noch nicht in Sicht ist, müssen wir damit rechnen, dass die Kernraten allmählich weiter ansteigen werden. Damit scheinen wir aktuell an einem Wendepunkt der Inflationsentwicklung zu stehen. Nach allem, was wir wissen, müssen wir erwarten, dass sich die sehr forsche Gangart in der Geldpolitik der vergangenen Jahre nun allmählich in steigende Inflationserwartungen und eine schneller wachsende Geldmenge im Wirtschaftskreislauf und schliesslich auch in eine weiter steigende Inflation übersetzt. Aufhalten könnte diesen Prozess kurzfristig nur eine erneute Weltrezession, für die wir im Augenblick aber keine Anzeichen haben.

Selbst wenn der Aufschwung aber in nächster Zeit von einem konjunkturellen Einbruch unterbrochen werden würde, würde der Inflationsanstieg bestenfalls auf der Zeitachse nach hinten verschoben. Fallende Energiepreise und eine dann wieder wachsende Produktionslücke würden ihrerseits die Inflation sicherlich dämpfen. Mit einer Rücknahme der historisch einmaligen Ausweitung der Geldmengen ist in einer solchen Situation aber umso weniger zu rechnen. Im darauffolgenden Aufschwung würden wir darüber hinaus wohl mit einem deutlichen Ansteigen der Geldschöpfungsmultiplikatoren rechnen müssen. Immerhin sollte dann wieder der Optimismus der Unternehmen wachsen, und die wichtigsten Bilanzbereinigungen bei den Banken sollten abgeschlossen sein.

Aus diesen vorsichtigen Formulierungen im Konjunktiv können Sie ersehen, wie wenig quantitativ Fassbares wir tatsächlich über die zukünftige Inflationsentwicklung wissen. Qualitativ können wir die Vorgänge recht gut einschätzen. Der Blick auf die mangelnde Prognosefähigkeit von uns Ökonomen hat deutlich gemacht, dass diese selbst kurzfristig begrenzt ist. Gleichzeitig wissen wir, wie wichtig die Inflationserwartungen der Wirtschaftsakteure für die mittelfristige Inflationsentwicklung sind. Auch diese können sich verändern. Eine wichtige Quelle für Erwartungsänderungen sind die Erfahrungen der jüngeren Vergangenheit. Haben wir die Inflationsentwicklung überschätzt, neigen wir dazu, unsere Inflationserwartungen nach unten zu korrigieren, und umgekehrt.

Langfristig wissen wir um die Bedeutung der Unabhängigkeit der Geldpolitik von der Regierung. Der direkte Weg in die Hyperinflation geht über Staatsschulden, die mit der Notenpresse finanziert werden. Auch wissen wir, dass die durch die Zentralbanken geschaffene Basisgeldmenge ein Potenzial für zukünftige Preiserhöhungen schafft. Solange die Wirtschaftsakteure aber nicht ihr grundsätzliches Vertrauen in die wirtschaftspolitisch Verantwortlichen verloren haben, haben gestiegene Geldmengen in der Vergangenheit zwar regelmässig höhere, aber kontrollierbare Inflation zur Folge gehabt.

Vor dem Hintergrund dieser Bestandsaufnahme unseres eher bescheidenen Wissens über Inflation staune ich über das aktuell hohe, ja fast blind zu nennende Vertrauen der Öffentlichkeit in die Fähigkeit der Zentralbanken, tiefe Inflationsraten garantieren zu können. Wie wir gesehen haben, sind beim Thema Inflation nur wenige Zusammenhänge so genau bestimmbar, dass wir sie quasi mechanisch nutzen könnten, um auch nur die Geldmengenentwicklung

Vertrauen in die Geldpolitik ist gut, ...

in der Wirtschaft kontrollieren zu können. Wie soll da die Inflation so genau steuerbar sein, wie sich das die Öffentlichkeit, die Politik, die Medien und auch die Finanzmärkte vorstellen?

Dabei wird von den Zentralbanken nicht nur erwartet, dass sie uns in Bezug auf die Teuerung in ruhigem Fahrwasser halten. Nach der bravourösen Rettungsaktion während der Finanzkrise wird wie selbstverständlich erwartet, dass die Notenbanken auch die Stabilität des Finanzsystems garantieren können.

Kommt hinzu, dass bei jeder auch noch so kleinen Abschwächung der Konjunkturdaten gleich der Ruf nach geldpolitischen Massnahmen laut wird. Offensichtlich hat sich bei uns die Vorstellung einer beinahe absoluten Steuerbarkeit nicht nur der Inflation und der Systemstabilität des Finanzsektors, sondern auch der Konjunktur durch die Zentralbank breitgemacht. Viele Beobachter scheinen sogar zu glauben, dass Geldpolitik keinerlei negative Nebenwirkungen oder Kosten hat.

Aber es geht noch weiter. Viele Finanzmarktteilnehmer gehen explizit davon aus, dass die Zentralbanken auch die augenblicklich sehr hohen Bewertungen ihrer Anlagen garantieren werden. Die Vorstellung ist, dass bei einer Preiskorrektur an den Märkten die Zentralbanken schon eingreifen würden. Eine neuerliche Flut von Liquidität, noch mehr Anleihenkäufe bis hin zu direkten Stützungskäufen auf den Aktienmärkten sollen dann folgen, um so die Finanzmarktpreise hoch zu halten.

In der Schweiz geht die Erwartung an die Zentralbank aktuell noch weiter. Es wird von praktisch der gesamten Gesellschaft unterstellt, dass die Zentralbank den Wechselkurs des Frankens steuern kann. Mit ihrer jahrelangen Interventionspolitik und der temporären Einführung einer Obergrenze des Aussenwerts des Frankens gegenüber dem Euro hat die SNB die Vorstellung der Machbarkeit der Wirtschaftsentwicklung auf die Spitze getrieben.

Wir haben schon gesehen, wie lose der Zusammenhang zwischen den Politikinstrumenten der Zentralbank und der Inflationsentwicklung ist. Wir haben gesehen, dass selbst die erfolgreichste Notenbank der Welt kaum die zukünftige Inflationsentwicklung verlässlich prognostizieren kann. Glauben wir wirklich, dass wir mit dem einen Instrument, das wir Geldpolitik nennen, fünf Ziele erreichen können: Systemstabilität, Preisstabilität, Wachstum, hohe Finanzmarktpreise und tiefe Wechselkurse? Und das alles, ohne dass es uns irgendetwas kostet?

Aus der Darstellung unseres Wissens zum Thema Inflation allein folgt schon, dass die Steuerbarkeit der zukünftigen Wirtschaftsentwicklung viel geringer ist, als wir das kollektiv wahrhaben wollen. Wir haben verdrängt, dass Inflation nicht einfach die mechanisch kontrollierbare Folge von wirtschaftspolitischen Massnahmen ist, sondern sehr stark von unkontrollierbaren Ereignissen und von menschlichen Erwartungen abhängig ist. ...aber Geldpolitik ist nicht allmächtig

Die Gefahr ist gross, dass wir das Inflationspotenzial der jüngst geschaffenen Geldmengen unterschätzen. Das nicht nur, weil wir die uns bekannten, über Hunderte von Jahren empirisch erhärteten Zusammenhänge nicht mehr wahrhaben wollen. Auch in der rasanten technologischen Entwicklung, die wir aktuell durchmachen, liegen Risiken für die Geldpolitik. Denken Sie nur einmal an die gestiegene Effizienz unseres Zahlungs- und Kreditverkehrs. Angesichts der Möglichkeiten der neuen Technologien zum Geldtransfer, aber auch zu Entstehung von Kreditbeziehungen ausserhalb des Bankensystems ist es durchaus vorstellbar, dass wir für ein gesellschaftlich gewünschtes Kreditvolumen heute deutlich weniger Basisgeldmenge brauchen als noch vor wenigen Jahren. Damit könnten die Geldschöpfungsmultiplikatoren in einer Wirtschaft, die wieder zu ihrem «courant normal» zurückgefunden hat, deutlich über denen der Vergangenheit liegen.

Auch ist das Entstehen von Alternativwährungen nicht gefahrlos für die Inflationsentwicklung. Mit Bitcoins, Ripples oder Litecoins entsteht die Möglichkeit, die Wirtschaft mit Geld zu versorgen, das sich ausserhalb der Kontrolle der Zentralbanken befindet. Dabei Alternativwährungen als Inflationsgefahr scheint die Gefahr für unsere Gesellschaft weniger gross, dass diese Währungen an Wert verlieren. Gefährlicher würde es, wenn genau das Gegenteil der Fall wäre. Das eigentliche Inflationsproblem entsteht für uns aus einer möglichen Substitution unserer nationalen Währungen durch diese neuen Währungen.

In allen Phasen, in denen das Vertrauen in eine Währung geschwunden ist, ist es in der Vergangenheit zum Aufkommen von Alternativwährungen gekommen. Diese Alternativwährungen – früher war dies meist die Währung eines Nachbarlandes – haben das Potenzial, die bisherige Währung zu verdrängen. Die Menschen beginnen dann, die weniger vertrauenswürdige alte Währung schnell auszugeben, und die Preise beginnen zu steigen. Es gibt eine ganze Reihe von historischen Beispielen, wo eine solche Währungssubstitution zu einem deutlichen, zum Teil abrupten Anstieg der Inflation in der ersetzten Währung geführt hat.

Ganz zentral für die weitere Entwicklung der Inflation wird daher die Glaubwürdigkeit unserer Zentralbanken sein. Diese befindet sich zum Glück nach der hervorragenden Rolle, die die Notenbanken bei der Überwindung der Finanzkrise gespielt haben, und aufgrund der aktuell tiefen Inflationsraten auf einem Höhepunkt. Angesichts des naiven Glaubens der Menschen in die fast vollkommene Steuerbarkeit der Wirtschaftsentwicklung durch eben diese Zentralbanken ist die Enttäuschung dieses Glaubens aber vorprogrammiert.

Die Glaubwürdigkeit der Zentralbanken wird sinken

Ein Verlust an Glaubwürdigkeit der Zentralbanken ist aber keine Trivialität, hängt doch unser wirtschaftliches Verhalten stark von dem Vertrauen ab, das wir in unsere Währung haben. Aus gutem Grund galten Zentralbanker früher in der Öffentlichkeit als eher trockene und langweilige Personen. Die Bescheidenheit der Feststellung, dass wir wenig über die Zukunft wissen, hat damals die verantwortlichen Menschen beseelt. Geldpolitik hat alles versucht und nichts versprochen.

Aus den unauffälligen Staatsdienern in den Zentralbanken sind heute unfreiwillig mediale Superstars geworden. Es wird schwer sein, den Weg zurück zu einer bescheideneren Geldpolitik zu finden. Dass die Notenbanken dies aber letztlich schaffen werden, gehört für mich zu den Sicherheiten der Zukunft. Niemand kann auf Dauer behaupten oder auch nur tolerieren, dass von ihm erwartet wird, dass er mehr kann, als er tatsächlich in der Lage ist zu leisten. Der Weg dahin könnte aber auch für unsere Wirtschaft und für die Finanzmärkte nicht einfach werden.

Finanzmärkte

«All models are wrong, but some are useful.»

George E. P. Box (1919–2013)

Finanzmärkte – was treibt sie an?

Wohl kaum ein Bereich unserer wirtschaftlichen Umwelt wird in der Öffentlichkeit so häufig thematisiert wie die Finanzmärkte. Das Auf und Ab von Börsenkursen, Zinssätzen und Währungen scheint eine seltsame Faszination auszuüben. Der Traum vom schnellen Geld oder der Albtraum der über Leichen gehenden Spekulanten haben von jeher Menschen in ihren Bann geschlagen. Wer sich mit Menschen unterhält, die sich für die Finanzmärkte interessieren, trifft genauso häufig auf gut informierte, kritische Beobachter des Geschehens wie auf Menschen, die von einem naiven Glauben an die Allmacht der Banken oder aber von Verschwörungstheorien aller Art beseelt sind.

Das Thema Finanzmärkte ist stark emotional belegt ...

Heute widmet das Fernsehen der Börsenberichterstattung sogar eigene Nachrichtensendungen. Der Grund dafür ist nicht die alles überragende Bedeutung der Finanzmärkte, sondern eher eine manchmal seltsam anmutende Berührungsangst der Menschen, auch der Nachrichtenmacher, mit der Welt des Geldes. Die Börse hat in der Tagesschau nichts zu suchen. Allzu genau wollen wir da nicht hinschauen. Ob Aristoteles, Jesus, Mohammed oder Marx, unsere kulturellen Wurzeln lassen uns Handel, vor allem aber Handel mit Geld als unseriös erscheinen. Erinnern wir uns: Die katholische Kirche hat das Zinsverbot erst in der Mitte des 19. Jahrhunderts aufgehoben. Im Islam ist das Nehmen von Zinsen heute noch verboten.

Dabei spielen die Finanzmärkte in der modernen Wirtschaft eine wichtige Rolle. Finanzmarktpreise liefern wichtige Anhaltspunkte für die Knappheit von Kapital, für die Verbreitung von Informationen und die Risikowahrnehmung in unserer Gesellschaft. Ein wichtiger Teil unserer Altersvorsorge ist am Kapitalmarkt angelegt. Und schliesslich bestimmen die Preise am Finanzmarkt ganz massgeblich darüber, wie sich die Vermögen in unserer Gesellschaft verteilen.

...und in seiner Funktionsweise den meisten Beobachtern anscheinend unbekannt

Umso erstaunlicher ist es, wie wenig die breitere Öffentlichkeit über die Funktionsweise dieses Markts eigentlich weiss. Selbst ausgebildete Ökonomen weisen erstaunlich grosse Lücken im Wissen über die Kapitalmärkte auf. Kein Wunder, dass es Raum für sogenannte Finanzexperten gibt, die nicht einmal die grundlegenden Zusammenhänge der Preisbildung auf den Finanzmärkten wiedergeben können, von den Medien aber als Finanzgurus gefeiert werden.

Was den Umgang mit den Finanzmärkten besonders schwierig macht, ist, dass gerade bei diesem Thema ein gehöriges Stück Demut meiner Zunft angemessen wäre. Die bewusst geschürte Vermutung der Öffentlichkeit, dass Finanzexperten gute Prognosen zu Zinsen, Wechsel- und Börsenkursen machen könnten, stimmt eben nicht. Finanzmarktpreise sind auf einen Zeitpunkt hin kaum zu prognostizieren. Ich staune jeweils, wenn ich Ökonomen sehe, die an einer Umfrage zum Thema «Wo steht der Aktienmarkt zum Jahresende?» teilnehmen. Glauben die Kollegen wirklich, entgegen der vorliegenden überwältigenden wissenschaftlichen Evidenz, dass sie das vorhersagen können?

Zur Entschuldigung könnte man anführen, dass selbst die grössten Ökonomen vor einer selbstüberschätzenden Hybris nicht gefeit waren. So ist der wohl bedeutendste Ökonom des vergangenen Jahrhunderts, John Maynard Keynes (1883–1946), zweimal aufgrund von Finanzmarktspekulation in grosse finanzielle Nöte geraten. Der grosse amerikanische Ökonom Irving Fisher (1867–1947), von dem wir in diesem Kapitel noch mehr hören werden, hat zwei Wochen vor dem grossen Börsencrash von 1929 in der *New York Times* geschrieben, dass die «Aktienkurse ein – wie es scheint – dauerhaft hohes Niveau erreicht haben». Jüngstes Beispiel ist für mich der französische Ökonom Thomas Piketty (*1971), der in seinem Buch *Das Kapital im 21. Jahrhundert* den Effekt von steigenden Preisen von Kapital zu einem Naturgesetz erhebt und so die Notwendigkeit einer massiven Umverteilung von Einkommen und Vermögen begründet.

Um also nicht die falschen Schlüsse zu ziehen, lohnt es sich, einen Moment darin zu investieren, das wenige Wissen, das wir über die Entwicklung der Finanzmärkte besitzen, kennenzulernen.

Finanzmarktpreise reflektieren Zukunftserwartungen

Im vorherigen Kapitel haben wir betrachtet, was wir über die Preisentwicklung von Waren und Dienstleistungen wissen. Jetzt wollen wir uns um die Preisentwicklung von Finanzanlagen kümmern. Zwischen der Art und Weise, wie sich die Preise dieser zwei Gruppen bilden, gibt es Ähnlichkeiten, aber auch fundamentale Unterschiede. In beiden Fällen spielen Angebot und Nachfrage eine Rolle. In beiden Fällen bestimmt der Nachfrager, wie viel ihm der Kauf wert ist. In beiden Fällen bestimmt der Verkäufer, wie hoch der Preis für ihn sein muss, damit er sich von der Sache trennt oder die Dienstleistung erbringt. Überlappen sich die Vorstellungen von Käufer und Verkäufer, kommt es zu einem Geschäft.

Im Fall von Gütern und Dienstleistungen geht es für den Käufer um den unmittelbaren Nutzen aus der Dienstleistung oder dem Gebrauch oder Verbrauch der Sache. Der Verkäufer richtet sich in einem Wettbewerbsmarkt mit seinem Verkaufspreis nicht nur an der Zahlungsbereitschaft des Kunden, sondern auch an seinen Produktionskosten aus. Ist der Anbieter zu teuer, muss er damit rechnen, dass ein anderer Anbieter ihn unterbietet, solange dieser günstiger produzieren kann. Bei der Bildung der Produktionskosten spielen, wie wir gesehen haben, die Erwartungen der zukünftigen Inflation eine Rolle. Diese sind in der Regel Bestandteil von Lohn- und Zuliefererverträgen, die sich kurzfristig häufig nicht ändern lassen. Die Folge ist, dass Verkaufspreise einen Anker in der aktuellen Produktionskostenstruktur haben. Damit sind die Preise der Realwirtschaft sehr von den Gegebenheiten zum Zeitpunkt des Geschäfts bestimmt. Preise von einzelnen Güter- und Dienstleistungen können zwar kurzfristig schwanken, sie tendieren aber dazu, sich in der Summe nur relativ träge zu verändern.

Im Fall von Finanzanlagen entsteht der Nutzen für den Käufer nicht hier und heute, sondern erst im Laufe der Zeit. Es geht für ihn also weniger um eine Abwägung dessen, was ihm der Kauf der Anlage in der Gegenwart bringt, sondern darum, Erwartungen über den zukünftigen Nutzen der Anlagen zu bilden. Das ist nicht nur schwieriger, sondern auch im Ergebnis von grossen Schwankungen geprägt, weil sich Erwartungen abrupt ändern können.

Zukunftserwartungen schwanken stark

Wie schwierig diese Erwartungsbildung sein kann, lässt sich vielleicht am besten an einem Beispiel illustrieren. Nehmen wir die Mobiltelefonie. Vor wenigen Jahren noch dominierte die finnische Firma Nokia den Markt für tragbare Telefone. Nokia war einer der Pioniere des mobilen Telefonierens und hatte sogar die frühen Übertragungsstandards GSM und LTE mitentwickelt. Von 1998 an war die Firma der grösste Mobiltelefonhersteller der Welt. Bis zum Jahr 2007 war sowohl für die Benutzer der kleinen, schicken Telefone als auch für Investoren in die Nokia-Aktie klar, dass Nokia den Markt noch auf viele Jahre hinaus beherrschen würde. Damit erschienen weitere Kurssteigerungen und regelmässige Einnahmen aus den Gewinnausschüttungen der Firma garantiert. Im Jahr 2007 erreichte die Nokia-Aktie, die mittlerweile an der amerikanischen Technologiebörse NASDAQ gehandelt wurde, einen Aktienkurs von über 40 US-Dollar.

Im gleichen Jahr lancierte Apple das iPhone. Nokias Telefone erschienen vielen Konsumenten in der Folge als unpraktisch und gar nicht mehr so schick. Vier Jahre später lag der Aktienkurs von Nokia unter 2 US-Dollar. Nochmal drei Jahre später trennte sich Nokia von seinem verlustbringenden Mobiltelefongeschäft. Sie erahnen die Lehre aus diesem Beispiel schon: Wir wissen wenig über die Zukunft. Die zukünftige Entwicklung von Unternehmen können wir kaum prognostizieren. Und gerade die Einschätzung von Dingen, über die wir kaum etwas wissen können, kann stark schwanken.

An den Finanzmärkten trifft also eine in ihrer Zahlungsbereitschaft volatile Nachfrage auf ein kurzfristig sehr wenig flexibles Angebot. Anlagegüter lassen sich nicht kurzfristig erstellen. Gründung und Aufbau einer Unternehmung, die an der Börse gehandelt werden kann, dauern in der Regel Jahre. Ebenso ist der Neubau einer Immobilie zeitaufwendig. Selbst die Ausgabe einer neuen Obligation muss gründlich vorbereitet werden und kann kaum in kurzer Zeit erfolgen. Kurzfristig besteht das Angebot an Anlagegütern daher nur aus dem Bestand. Der Verkaufspreis orientiert sich also nicht an den Reproduktionskosten, sondern an dem Wert, bei dem der augenblickliche Besitzer der Anlage bereit ist zu verkaufen. Dieser wird aber wiederum stark von den Erwartungen über den Nutzen der Anlage in der Zukunft abhängen.

Der Anker der Preisentwicklung in den Produktionskosten, den wir bei den Güter- und Dienstleistungsmärkten gesehen haben, fehlt daher in der kurzen Frist bei Finanzanlagen vollkommen. Mittelfristig reagieren die Anbieter von Anlagemöglichkeiten schon auf Unterschiede in der Preisentwicklung. Befinden sich Aktienkurse nahe bei ihren Höchstständen, gibt es mehr Unternehmen, die am Kapitalmarkt über eine Ausgabe von Aktien Kapital aufnehmen wollen. Sind die Zinsen tief, werden mehr Anleihen ausgegeben. Sind die Immobilienpreise hoch, wird mehr gebaut.

Wichtig zu verstehen ist aber, dass auch diese Veränderungen in der Angebotsmenge im Vergleich zum Bestand an Anlagegütern sehr klein sind. Das liegt daran, dass Anlagen durch den Käufer nicht verbraucht werden, so wie das bei den meisten Gütern und Dienstleistungen der Fall ist. Stattdessen bleiben uns die Anlagen über lange Zeiträume erhalten, sonst würden sie ja auch nicht als Anlagen taugen. Diese nur relativ geringe Veränderung der Angebotsmenge ist neben der starken Abhängigkeit der Preise von kaum prognostizier-

baren Zukunftsereignissen der zweite Grund dafür, dass Anlagepreise sehr stark schwanken. Das Angebot kann gar nicht elastisch
auf die Nachfrage reagieren.

Das Problem der kurzfristig mangelnden Elastizität des Angebots wird dadurch verschärft, dass alle Anlagen immer gehalten
werden müssen. Es gibt keine Ladenhüter am Aktienmarkt, die irgendwo in einem Regal liegen bleiben. Gerade diesen Punkt scheinen selbst regelmässige Marktbeobachter häufig nicht verstanden
zu haben oder verstehen zu wollen. Wie oft haben Sie schon den Satz
gehört: «Es gab mehr Verkäufer als Käufer am Markt»? Dass die
Anzahl der Verkäufer oder Käufer einen Einfluss auf den Preis haben
soll, ist natürlich blanker Unsinn. Ein einziger Käufer könnte pro-
blemlos die Kurse nach oben treiben, wenn er bereit ist, viel von
dem Anlagegut zu einem hohen Preis zu kaufen. Wie viele Verkäufer
ihm gegenüberstehen, spielt überhaupt keine Rolle. Kommt hinzu,
dass jedem Kauf auch ein Verkauf gegenüberstehen muss, sonst
könnte ja der Kauf gar nicht stattfinden. Mit anderen Worten: Es
gibt immer gleich viele Verkäufe und Käufe. Alle Aktien, alle Obligationen, alle Immobilien werden immer zu jeder Zeit von irgend-
jemandem besessen.

Noch unpassender scheint mir der aktuell so häufig geäusserte
Satz von der grossen Liquidität, die – geschaffen durch die expansive
Geldpolitik der Zentralbanken – ihren Weg in die Märkte sucht.
Manche Beobachter schaffen es sogar zu behaupten, dass das geschaffene Geld in die Märkte fliesst und dort die Preise nach oben
treibt. Ich staune, wie oft wenig reflektiert im Finanzmarktkontext
argumentiert wird.

Natürlich ist es so, dass der Kaufpreis einer Finanzanlage vom
Käufer mit Geld beglichen werden muss. Dieses Geld landet dann
aber nicht im Finanzmarkt, sondern ganz banal auf dem Konto des
Verkäufers. Das Geld fliesst somit vom Käufer zum Verkäufer und
bleibt damit im Bankensystem. Genauso wechselt die Anlage von der
einen in die andere Hand. Nach dem Kauf ist also genauso viel Geld

im System wie zuvor, und es gibt auch gleich viele Anlagegüter wie zuvor. Mit der Floskel vom fliessenden Geld lässt sich nicht erklären, warum die Preise der Finanzanlagen steigen oder fallen.

Dennoch hat die durch die Geldpolitik geschaffene Geldmenge einen Einfluss auf die Preisbildung an den Finanzmärkten. Der verläuft aber etwas komplizierter, als sich das so mancher Beobachter vorstellt. Es lohnt sich, diesen Mechanismus etwas genauer zu beleuchten, weil er für praktisch alle zukunftsgerichteten Entscheidungen von Bedeutung ist. Die Entwicklung des Werts unserer Pensionsvorsorge hängt genauso von diesem Mechanismus ab wie die Entscheidung, in ein Wohnobjekt zu investieren oder heute mehr zu konsumieren. Es geht um den Zins.

Der Zins im Mittelpunkt der Finanzmärkte

Wohl keine andere Grösse ist für unsere Art zu wirtschaften so wichtig wie der Zins. Der Zins ist der Preis für das zeitlich begrenzte Ausleihen von Kapital. Der Zins gibt uns an, welchen Ertrag wir bekommen, wenn wir heute auf Konsum verzichten und stattdessen das Geld sparen, damit andere es ausleihen können. Er hat eine Signalwirkung für millionenfache Entscheidungen von Konsumenten, Unternehmern und Regierungen für die zeitliche und inhaltliche Strukturierung ihrer Zukunftspläne. Dadurch, dass sich Spar- und Investitionsverhalten am Zins orientieren, bringt der Zins Angebot und Nachfrage nach Kapital in ein Gleichgewicht. Kein anderer Markt ist grösser, kein anderer Preis ist bedeutender für die dezentrale Koordination unserer wirtschaftlichen Entscheidungen.

Die zentrale Grösse der Finanzmärkte ist der Zins; er verbindet das Heute mit dem Morgen

Sowohl beim Konsumverzicht als auch bei der Investition geht es um Entscheidungen, die mit der Zukunft zu tun haben. Wer heute in der Lage ist, darauf zu verzichten, sein verdientes Geld direkt wieder auszugeben, tut dies in der Regel nicht, weil er so viel Geld hat, dass er es gar nicht ausgeben kann. Konsumverzicht in der Gegenwart soll uns erlauben, eine grundsätzlich unsichere Zukunft zu meistern. Wir sparen aus Vorsorge und zur Risikoabsicherung. Ein Ziel dieser Vorsorge von vielen Menschen ist es, auch dann noch den realen Lebensstandard so gut es geht halten zu können, wenn sie kein Einkommen mehr erzielen.

Der Zins kompensiert die Sparer für erwartete Inflation

So wird es nur selten Situationen geben, in denen der Sparer damit zufrieden sein wird, dass seine Ersparnisse in der Zukunft eine tiefere Kaufkraft besitzen als heute. Dementsprechend spielen die im vorigen Kapitel behandelten Inflationserwartungen eine wichtige Rolle bei der Zinsbildung. Steigen die Inflationserwartungen, braucht es im gleichen Ausmass steigende Zinsen, damit der Sparer bei seinen bisherigen Sparplänen bleibt. Wäre das nicht der Fall, so würden dem heutigen Konsumverzicht sinkende zukünftige Konsummöglichkeiten gegenüberstehen. Mit anderen Worten, der heutige Konsum würde attraktiver werden und die Menschen würden weniger sparen.

Um diesen Effekt klarer herausarbeiten zu können, hat der amerikanische Ökonom Irving Fisher eine wichtige Unterscheidung eingeführt. Er unterteilte den am Markt beobachteten Zins in eine Komponente, die die erwartete Inflation abbildet, und den Rest, den er als Realzins bezeichnete. Dieser Realzins ist nach der gängigen Vorstellung das, was die Konsum- und Spar-, aber auch die Investitionsentscheidungen in der Wirtschaft vorantreiben soll. Liegt der Realzins hoch, dann reflektiert das aufseiten der Sparer eine hohe Vorliebe für gegenwärtigen Konsum, weil es offensichtlich einen grossen Anreiz braucht, um das Geld auf die hohe Kante zu legen. Gleichzeitig bedeutet das aber aus Sicht der Investoren, dass ihre Investitionsvorhaben wohl eine noch höhere Rendite versprechen, sonst würde es auf dem Zinsniveau keine Kapitalnachfrage mehr geben.

Der Realzins sollte die Schlüsselgrösse für unser Wachstum sein

Der Realzins sollte also die Gegenwartsvorliebe der Sparer und die Gewinnaussichten der Realwirtschaft reflektieren. Dementsprechend erwartet die Theorie, dass die Realzinsen bei gutem Wachstumsausblick und guter Beschäftigungslage hoch sind. Dann lohnt es sich für die Unternehmer, Kredite aufzunehmen, um ihre Geschäftsaktivitäten auszuweiten. Gleichzeitig wird Vorsorgesparen bei den Arbeitnehmern kleingeschrieben, da die subjektive Arbeitsplatzunsicherheit dank der Pläne der Unternehmer zu expandieren eher kleiner wird. Damit müssen den Sparern höhere Zinsen geboten werden, um das durch die Kreditnehmer benötigte Sparvolumen hervorzubringen.

So weit die Theorie. In der Praxis ist die Evidenz für diesen so einleuchtend klingenden Zusammenhang allerdings eher schwach. Ein Blick auf die Entwicklung der Realzinsen in den Vereinigten Staaten macht deutlich, wie lose der Zusammenhang zwischen Konjunktur und Realzins eigentlich ist. Grafik 3-1 stellt die Entwicklung der Realzinsen für fünfjährige Staatsanleihen der Produktionslücke gegenüber. Die für die Berechnung der Realzinsen nötigen Inflationserwartungen stammen aus einer Erhebung der Universität von Michigan zur Stimmung der amerikanischen Konsumenten.

Wie wir sehen, scheint es einen losen Zusammenhang zwischen volkswirtschaftlicher Kapazitätsauslastung und Realzins zu geben.

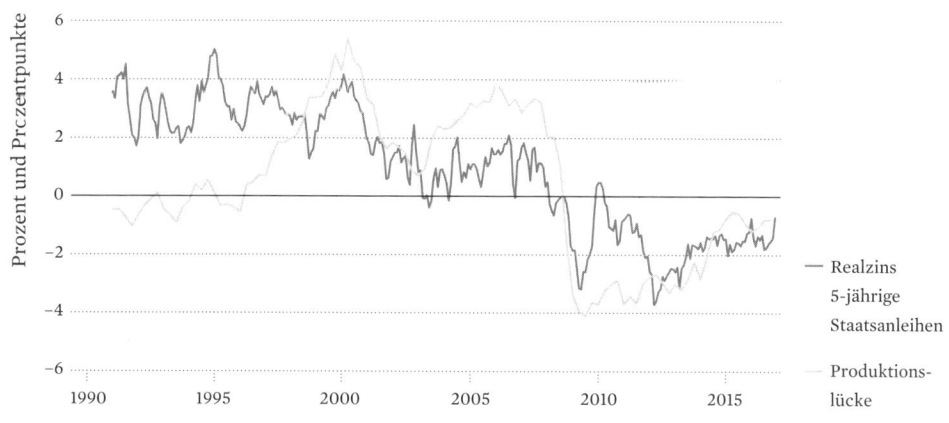

Grafik 3-1: US-Realzins und Produktionslücke

Je schwächer sich das Volkseinkommen entwickelt, desto niedriger liegt der Realzins. Tatsächlich scheint der Realzins über den betrachteten Zeitraum im Trend aber auch gefallen zu sein.

Der Realzins schwankt mit der Produktionslücke und scheint im Trend leicht zu fallen ...

Genau dies sollte man gemäss dem langfristigen Wachstumsmodell, das wir in dem Kapitel zum Wachstum verwendet haben, auch erwarten. Der Hintergrund dieser Entwicklung ist, dass eine zusätzliche Investition bei einer bereits vorhandenen hohen Kapitalausstattung einer Industrienation nur einen kleineren Produktionszuwachs bringt, als wenn wir eine gleich grosse Investition in einer sich entwickelnden Volkswirtschaft mit tiefer Kapitalausstattung tätigen. Mit wachsenden Pro-Kopf-Einkommen sollte also der Zuwachs an Produktion pro Investitionseinheit im Zeitablauf abnehmen. Damit fällt die reale Rendite einer Investition und damit auch der Realzins. Allerdings wird er im Trend nicht negativ werden können, weil sonst die Unternehmen wohl kaum noch investieren würden. Tatsächlich ist die empirische Evidenz für diesen Zusammenhang aber ebenfalls eher schwach, sodass wir beim Thema fallende Realzinsen wohl eher von einer begründeten Vermutung als von einem erhärteten Wissen sprechen wollen.

Bedeutet der beobachtete Zusammenhang zwischen Produktionslücke und Realzins, dass wir Zinsen halbwegs gut prognostizieren können? Auf der einen Seite haben wir gesehen, dass die Inflationserwartungen keinen so heftigen Schwankungen unterworfen sind, sodass es möglich erscheint, diese recht gut zu erahnen. Auf der anderen Seite haben wir ja bereits festgestellt, dass eine Wachstumsprognose jenseits der kommenden ein oder zwei Quartale kaum haltbar ist. Damit ist die Prognose für die Änderung der Produktionslücke für einen mittelfristigen Zeitraum ebenfalls kaum möglich. Schon der Realzins ist also schwer zu prognostizieren. Nimmt man noch hinzu, dass die Inflation, wie wir gesehen haben, ebenfalls schwer vorherzusehen ist, wird klar, dass eine Zinsprognose über einen Zeitraum von mehr als ein paar Monaten kaum möglich ist.

Was die Prognosen darüber hinaus schwierig macht, ist, dass die Zinsen für kurzfristige Einlagen und Auslagen als Teil des geldpolitischen Instrumentariums durch die Notenbanken genutzt werden. In vielen Ländern legt die Zentralbank jeweils fest, zu welchem Zins sich die Geschäftsbanken mit Liquidität bei ihrer Zentralbank eindecken können. Damit wird zumindest im Bereich der sogenannten Geldmarktzinsen für Einlagen und Kredite bis einem Jahr Laufzeit auch das Verhalten der Zentralbank zum Prognosegegenstand, wenn man Zinsen prognostizieren will. In den Ländern, in denen die Zentralbanken darüber hinaus Anleihenkaufprogramme zur zusätzlichen Liquiditätszufuhr benutzen, sind sogar die sogenannten Kapitalmarktzinsen für längere Laufzeiten als ein Jahr stark von den Notenbanken beeinflusst.

Zinsprognosen sind also kaum machbar. In einer im Jahr 2015 erschienenen Studie der Federal Reserve Bank von Cleveland wurde denn auch aufgezeigt, wie gross die Prognosefehler von uns Ökonomen tatsächlich sind. Grafik 3-2 gibt die durchschnittlichen Feh-

... und dennoch taugen Zinsprognosen wenig

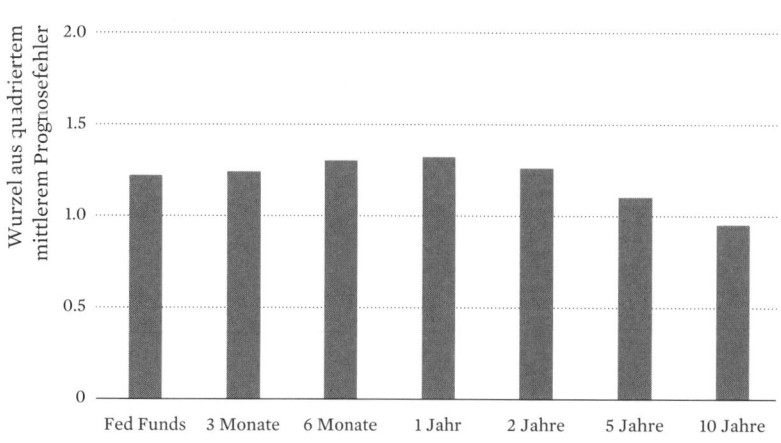

Grafik 3-2: Prognosefehler für die Einjahresprognose von US-Zinsen

ler der Einjahresprognosen für verschiedene Zinslaufzeiten für den Durchschnitt der grössten amerikanischen Prognosehäuser wieder. Seit 1990 lag der durchschnittliche Prognosefehler im Schnitt aller Laufzeiten bei mehr als 1 Prozentpunkt. Übersetzt bedeuten die Werte aus der Grafik, dass eine Prognose für den Zins einer fünfjährigen Anleihe in einem Jahr von 2,5 Prozent Ihnen sagt, dass mit zwei Drittel Wahrscheinlichkeit der Zins dieser Anleihe in einem Jahr zwischen 1,4 und 3,6 Prozent und mit 95 Prozent Wahrscheinlichkeit zwischen 0,3 und 4,7 Prozent liegen wird. Mit anderen Worten, Zinsprognosen sind praktisch nicht zu gebrauchen.

Diese Erkenntnis war für mich auf meinem Berufsweg nicht ganz einfach. Immerhin ist man als Chefökonom einer Grossbank öfter mit der Frage konfrontiert, wie es mit den Zinsen weitergeht. Ich erinnere mich gut an den Sommer 2003. Damals war ich der festen Überzeugung, dass die Zinsen ihren Tiefstand erreicht hatten. Immerhin lagen die Renditen für zehnjährige US-Staatsanleihen Anfang 2000 noch bei 7,5 Prozent und waren in der folgenden Rezession auf 4 Prozent zurückgegangen.

Mit allen guten theoretischen Argumenten ausgestattet und in Erwartung eines kräftigen Aufschwungs in der US-Wirtschaft verfasste ich einen Leitartikel für die Titelseite der Schweizer Wirtschaftszeitung *Finanz und Wirtschaft*. Ich weiss noch genau, dass ich sehr enttäuscht war, als ich in den Sommerferien erfahren habe, dass der Artikel zwar angenommen, aber zur Publikation erst in einigen Wochen vorgesehen war. Als er endlich erschien, lagen die Zinsen bereits bei über 5 Prozent, und ich war sehr unglücklich, dass mein Text nicht genau zum Tiefpunkt des Zinszyklus erschienen war.

Kurzfristig hatte mich meine Einschätzung also nicht getäuscht. Bis zum Beginn der Finanzkrise im Sommer 2007 konnte ich mir weismachen, dass ich die grosse Zinswende geradezu perfekt prognostiziert hatte. Niemals hätte ich mir vorstellen können, dass die US-Zinsen im Sommer 2016 einen neuen Tiefpunkt bei 1,3 Prozent finden würden. Und die Lehre aus all dem? Ganz einfach: Seitdem wir uns im Jahr 2009 mit unserer Beratungsgesellschaft selbstständig gemacht haben, machen wir keine Zinsprognosen mehr.

Genauer gesagt, machen wir keine Zinsprognosen mehr auf einen bestimmten Zeitpunkt hin. Wenn Sie gehofft haben, dass Ihnen die Lektüre dieses Buchs also hilft, den richtigen Zeitpunkt für das Abschliessen Ihrer nächsten Festhypothek zu finden, muss ich Sie enttäuschen. Und dennoch bedeutet dieses Eingeständnis des Nicht-Prognostizieren-Könnens nicht, dass wir aus dieser Erfahrung keine Handlungsempfehlungen ableiten können.

Diese Lernerfahrung ist sogar sehr hilfreich. Wer akzeptiert, dass Zinsprognosen kaum möglich sind, wird den Entscheid für das Eingehen einer Festhypothek nicht in dem Glauben fällen, er wisse, wann die Zinsen steigen oder fallen. In den Mittelpunkt der Entscheidung rückt die Frage nach der eigenen Risikobereitschaft und Risikofähigkeit. So kann es sinnvoll sein, je nach der eigenen Lage, Fälligkeiten von Hypotheken zu staffeln, um bei der Erneuerung der Zinsvereinbarung nicht in die unangenehme Situation zu kommen, zu einem dannzumal vielleicht sehr hohen Zins den vollen Kreditbetrag abschliessen zu müssen.

In Situationen, in denen man nicht prognostizieren kann, muss man nicht so tun, als könne man es doch

Tatsächlich wissen wir aktuell allerdings noch ein wenig mehr über die Zinsentwicklung, als der blosse Blick auf die historischen Prognosefehler meiner Zunft erscheinen lässt. Ein Blick auf Grafik 3-3 macht dies deutlich. Die Zinsentwicklung der vergangenen Jahre war schon aussergewöhnlich. Gemessen an der Verzinsung von zehnjährigen Staatsanleihen in den Vereinigten Staaten sehen wir eine starke Aufwärtsbewegung der Zinsen bis Anfang der 1980er-Jahre. Hintergrund der uns heute unglaublich hoch vorkommenden Zinsen von mehr als 14 Prozent war der starke Inflationsanstieg, den die Amerikaner nach der enormen Geldmengenausweitung Mitte der 1970er-Jahre erleben mussten.

Auch bei uns in Europa haben damals die Zinsen einen zwischenzeitlichen Höhepunkt erreicht. In Deutschland rentierten Staatsanleihen mehr als 10 Prozent, in der Schweiz mehr als 6 Prozent.

35 Jahre fallende Zinsen…

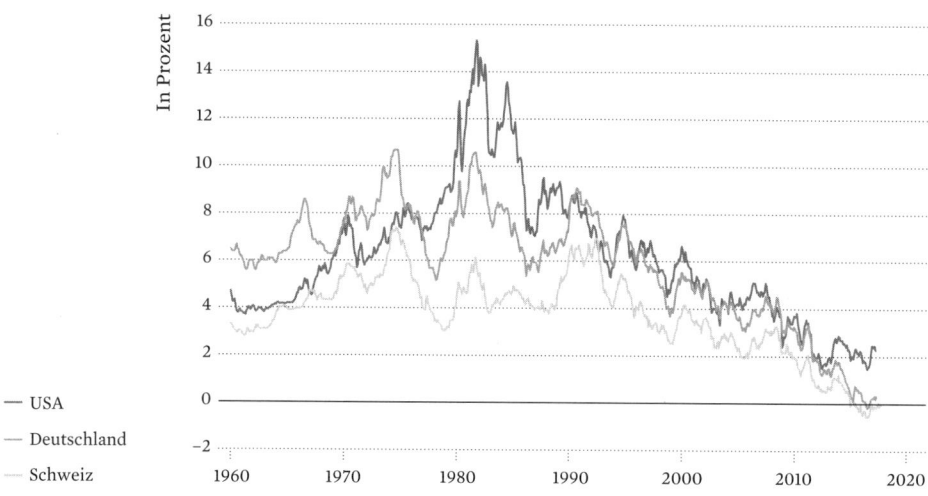

Grafik 3-3: Verzinsung von zehnjährigen Staatsanleihen

Seitdem sind weltweit in den Industrienationen die Zinsen gefallen. Einzig in der Schweiz gab es Anfang der 1990er-Jahre nochmals ein Zwischenhoch, das durch eine temporär zu grosszügige Liquiditätsversorgung durch die SNB und den folgenden Inflationsanstieg auf über 6 Prozent ausgelöst wurde. Heute sind die Zinsen weltweit enorm tief. Zeitweise notierten sie sogar knapp im negativen Bereich.

...werden sich nicht wiederholen! Die Prognose, die sich aus dieser Beobachtung ableiten lässt, ist von immenser Bedeutung, erscheint aber auf den ersten Blick trivial: Wir dürfen erwarten, dass sich der Zinsverfall der letzten 35 Jahre in den kommenden Jahrzehnten nicht wiederholen wird! Das liegt ganz einfach daran, dass Menschen vielleicht noch eine leicht negative Verzinsung einer Obligationenanlage tolerieren, wenn gleichzeitig das Geld auf dem Konto auch moderat negativ verzinst wird. Eine deutlich negative Verzinsung von Einlagen bei der Bank oder von Anleihen erscheint aber sehr unwahrscheinlich. Die Anleger werden dann händeringend nach Alternativen zur Anlage auf einem Konto oder in einer Obligation suchen. Es ist zu erwarten, dass in einem solchen Fall viele Menschen einfach Bargeld halten werden.

Damit es also zu einer dauerhaft und deutlich negativen Verzinsung kommen kann, müsste aber nicht nur das Bargeld abgeschafft werden, es müssten auch alle Substitute für Bargeld verboten werden. Sonst werden die Menschen schnell versuchen, auf werthaltigere Anlageinstrumente auszuweichen. Zu solchen Substituten gehörten historisch betrachtet neben ausländischem Bargeld auch Dinge wie Zigaretten, Gold, Muscheln und sogar Aspirintabletten. Eine solche Entwicklung erscheint mir sehr unwahrscheinlich.

Das bedeutet aber nichts anderes, als dass wir, wenn wir über die langfristige Zukunft nachdenken, davon ausgehen müssen, dass die Zinsen eher seitwärts laufen oder aber steigen werden. Ersteres wäre eine Art Szenario, wie wir es bei den Zinsen in Japan in den vergangenen zwei Jahrzehnten gesehen haben. Auch wenn die japanische Situation in vielen Dimensionen überhaupt nicht mit der Europas oder der Vereinigten Staaten zu vergleichen ist, können wir eine solche Entwicklung nicht vollkommen ausschliessen.

Wahrscheinlich ist so etwas aber aufgrund unseres Wissens zum Thema Inflation nicht wirklich. Im vorigen Kapitel hatten wir festgestellt, dass die Inflationsraten in den kommenden Jahren tendenziell steigen werden. Das sollte zur Folge haben, dass auch die Zinsen insgesamt steigen werden, selbst unter der begründeten Vermutung, dass die Realzinsen weiter leicht fallen werden. Da die Realzinsen genau wie die Produktivität von zusätzlichen Investitionen aber wohl kaum dauerhaft negativ sein können, ergeben sich im Trend positive und wohl auch steigende Zinsen.

Verhindern kann das vielleicht für einen gewissen Zeitraum der Staat. Staatlicher Zwang zum Kaufen von Anleihen kann das Zinsniveau, wie jüngst in vielen Ländern geschehen, künstlich nach unten drücken. Diese finanzielle Repression, die ihre Form in Anlagevorschriften für Pensionskassen und Versicherer, aber auch in

Finanzielle Repression ist temporär möglich, hat aber Grenzen und …

Anleihenkaufprogrammen von Zentralbanken finden kann, kann zum Ziel haben, den realen Wert von Schulden zu verkleinern. Damit erscheinen negative Realzinsen auf Finanzanlagen für einen gewissen Zeitraum möglich.

Tatsächlich könnte die finanzielle Repression das Sparverhalten der Menschen also nachhaltig beeinflussen. Wer durch die staatliche Erodierung der Pensionsansprüche reales Vermögen verliert, wird mehr sparen müssen, um seinen Lebensstandard im Alter wahren zu können. Damit könnten die Zinsen tatsächlich tief bleiben, auch wenn die durch Anleihenkaufprogramme gestiegenen Inflationspotenziale das Gegenteil suggerieren. Vielleicht sind das in den letzten Jahren gestiegene Sparvolumen und der dadurch geschwächte Konsum sogar der Grund, warum sich das Inflationspotenzial nur langsam materialisieren kann.

...wird wohl kaum zu weiter fallenden Zinsen führen

All das sind interessante, mögliche theoretische Zusammenhänge. Wichtig zu verstehen ist aber, dass selbst in diesem schwierigen Szenario die Zinsen nicht weiter ins Bodenlose fallen werden. Das liegt ganz einfach daran, dass es unzählig viele alternative Sparformen zum Geld gibt.

An dieser Stelle reicht es mir, wenn ich Ihnen vermitteln kann, dass sinkende Zinsen in einem Umfeld nicht mehr fallender, sondern moderat steigender Inflationsraten extrem unwahrscheinlich sind. Wer bei den Zinsen in die Zukunft schaut, darf vieles erwarten, aber kaum ernsthaft glauben, dass die Zinsen nochmals lange Zeit Jahre weiter fallen werden. Wenn Sie bereit sind, dies zu akzeptieren, dann hat das grosse Auswirkungen für das, was sie in Zukunft für die Finanzmärkte erwarten dürfen. Die Renditen der Zukunft werden deutlich unter denen der letzten 30 Jahre liegen!

Der Aktienmarkt reflektiert
Gewinn- und Zinsentwicklung

Dies liegt daran, dass das Zinsniveau nicht nur ein natürlicher Orientierungspunkt für die zukünftigen Erträge von Kapitalanlagen ist, sondern auch einen direkten Einfluss auf den Wert dieser Anlagen hat. Intuitiv kann man sich das so vorstellen: Die Anleger sind ständig auf der Suche nach interessanten Anlagemöglichkeiten. Fallen die Zinsen unerwartet auf ein tieferes Niveau, werden andere Anlageformen, deren Ertragsaussichten sich zunächst nicht geändert haben, im Vergleich zu Spareinlagen und Obligationen relativ interessanter. Die Nachfrage nach diesen Anlageformen steigt, und die Anleger sind tatsächlich bereit, einen höheren Preis für diese Anlagen zu zahlen. Mit den steigenden Preisen dieser Anlagen beginnt aber deren laufende Rendite zu sinken.

Das Zinsniveau bestimmt das zukünftige Ertragsniveau aller Anlageklassen

Denken Sie zum Beispiel an Aktien. Wenn eine Aktie zunächst zu einem Kurs von 100 notiert und eine Dividende von 3 zahlt, ergibt sich eine Dividendenrendite von 3 Prozent. Steigt der Kurs auf 150, sinkt bei unveränderter Dividende die Rendite der Aktie auf nur noch 2 Prozent.

Dadurch, dass Anleger sich zumindest partiell an der relativen Attraktivität der möglichen Anlagealternativen orientieren, besteht also ein Zusammenhang zwischen dem Zins und dem Preis für Anlageinstrumente. Unter der Annahme, dass alle anderen Erwartungen für die Wirtschaftsentwicklung unverändert sind, gilt: Je tiefer das Zinsniveau, desto höher sind die Preise. Fallende Zinsen führen damit zu steigenden Vermögenswerten. Umgekehrt gilt der Zusammenhang aber natürlich genauso. Steigende Zinsen sind Gift für die Preisentwicklung von Anlagen.

Fallende Zinsen sind gut für Anlagepreise, steigende Zinsen sind dagegen schlecht

Der Zusammenhang ist darüber hinaus nicht linear. Was damit gemeint ist, lässt sich mit einer ganz einfachen Überlegung illustrieren. Betrachten wir einmal den Wert einer ewigen Anleihe mit einem jährlichen Ertrag von einem Franken. Wie viel wären Sie

Bei tiefen Zinsen sind die Vermögenseffekte stärker

bereit für eine solche Anleihe zu zahlen? Wohl genau den Betrag, der alternativ angelegt auf einem Bankkonto diesen einen Franken Ertrag pro Jahr bringt. Würde das Zinsniveau bei 10 Prozent liegen, müssten Sie 10 Franken auf das Konto legen, um bei 10 Prozent Verzinsung einen Zinsertrag von 1 Franken zu bekommen. Fallen die Zinsen auf 5 Prozent, müssen sie schon 20 Franken einzahlen. Bei einem Zinsniveau von 2 Prozent wären es 50 Franken. Und bei einem Zinsniveau von 1 Prozent braucht es 100 Franken Einlage, damit 1 Franken Zinsertrag entsteht.

Grafik 3-4 stellt diesen Zusammenhang noch einmal für Sie dar. Sie sehen, dass bei einem hohen Zinsniveau der Rückgang der Zinsen um 1 Prozentpunkt nur einen vergleichsweise kleinen Effekt auf den Preis hat. Fallen die Zinsen von 2 auf 1 Prozent, verdoppeln sich die Preise. Bei tiefem Zinsniveau sind die Effekte auf die Vermögenswerte vergleichsweise hoch.

Vielleicht wird nun deutlicher, warum unsere frühere harmlos klingende Feststellung, dass die Zinsen wohl im Trend in den kom-

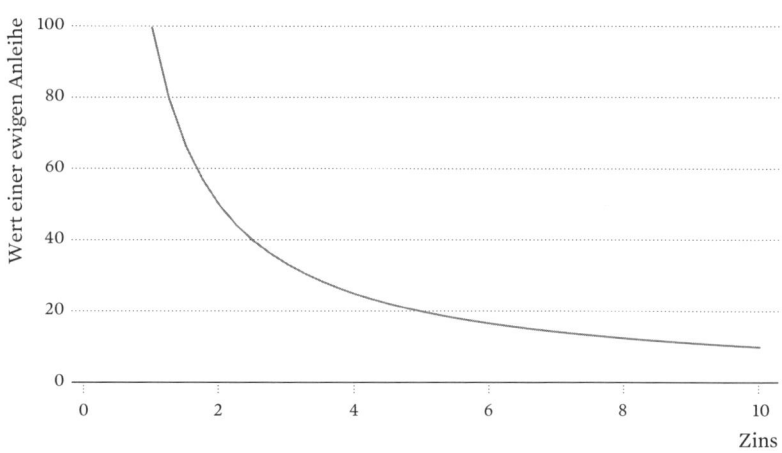

Grafik 3-4: Wert einer ewigen Anleihe in Abhängigkeit vom Zins

menden Jahrzehnten nicht weiter fallen können, so eine fundamentale Bedeutung für die zukünftige Entwicklung der Finanzmärkte und damit auch für Ihre Anlagen und für Ihre Altersversorgung hat. Betrachten Sie dazu noch einmal Grafik 3-3. Beim Blick auf die Zinsentwicklung in den Industriestaaten stellen wir fest, dass wir in den letzten vier Jahrzehnten mit weltweit fallenden Zinsen konfrontiert waren. Der eben beschriebene Zusammenhang macht deutlich, dass die Folge davon eine gewaltige Aufwertung unserer Vermögenswerte gewesen sein muss.

Man kann das wiederum am Beispiel der Aktienmärkte illustrieren. Im Vergleich zu unserer ewigen Anleihe müssen wir dabei allerdings berücksichtigen, dass Aktien nicht einen konstanten Ertrag haben, sondern dass die Unternehmensgewinne langfristig parallel zum Volkseinkommen wachsen. Kurzfristig gibt es darüber hinaus zyklische Schwankungen, die recht eng mit der Entwicklung der Konjunktur verbunden sind.

Tatsächlich haben Konjunkturschwankungen auch einen erheblichen Effekt auf die Entwicklung der Aktienkurse. So sind Rezessionen Phasen, in denen die Unternehmensgewinne stark fallen, was wiederum die Zukunftserwartungen für die unmittelbar bevorstehende Zeit negativ beeinflusst. In einer Rezession fallen Aktienkurse regelmässig deutlich. Der Effekt abnehmender Gewinnerwartung, gekoppelt mit einer Zunahme der Risikoscheu der Menschen, dominiert kurzfristig sogar den Effekt der in einer Rezession fallenden Zinsen.

Da Rezessionen aber schwer vorhersagbar sind, hilft uns diese Beobachtung aus der Vergangenheit nur wenig, wenn es um die Prognose des Aktienmarkts geht. Das macht die Aktienmärkte zu einer nervösen Veranstaltung. So gilt manchmal, dass schon die Angst vor einer Rezession eine stärkere Aktienmarktkorrektur auslösen kann. Der amerikanische Ökonom Paul Samuelson (1915–2009) hat das spöttisch so zusammengefasst: «Der Aktienmarkt hat 9 der letzten 5 Rezessionen vorhergesehen.»

Bleiben wir also lieber bei den langfristigen Zusammenhängen und betrachten dazu die Entwicklung des amerikanischen Aktienmarkts in Grafik 3-5. Ganz deutlich ist zu erkennen, dass der amerikanische Aktienmarkt seit 1960 praktisch genauso viel an Wert zugelegt hat, wie das nominale Volkseinkommen der Vereinigten Staaten gewachsen ist. Allerdings gab es in diesen fast sechs Jahrzehnten deutlich zu unterscheidende Phasen der Aktienmarktentwicklung, die direkt von der Entwicklung der Zinssätze abhingen.

Betrachtet man die Zinsentwicklung, hier gemessen an der Rendite zehnjähriger Unternehmensanleihen mittlerer Schuldnerqualität, stellt man fest, dass in Phasen steigender Zinsen die Aktienmarktentwicklung deutlich schwächer war als in Phasen fallender Zinsen. So haben die Zinsen sich Mitte der 1960er-Jahre vom bis dahin recht stabilen Niveau von knapp 5 Prozent verabschiedet und sind bis zum Sommer 84 auf über 17 Prozent angestiegen. In diesen gut 20 Jahren lag der Wertzuwachs des Aktienmarkts bei durchschnittlich 3,3 Prozent pro Jahr. Im gleichen Zeitraum stieg die Inflation von 1 Prozent auf zwischenzeitlich fast 15 Prozent an. Im

—— S&P 500
Aktienindex

—— Nominales
Volkseinkommen

—— Rendite auf
Unternehmens-
anleihen

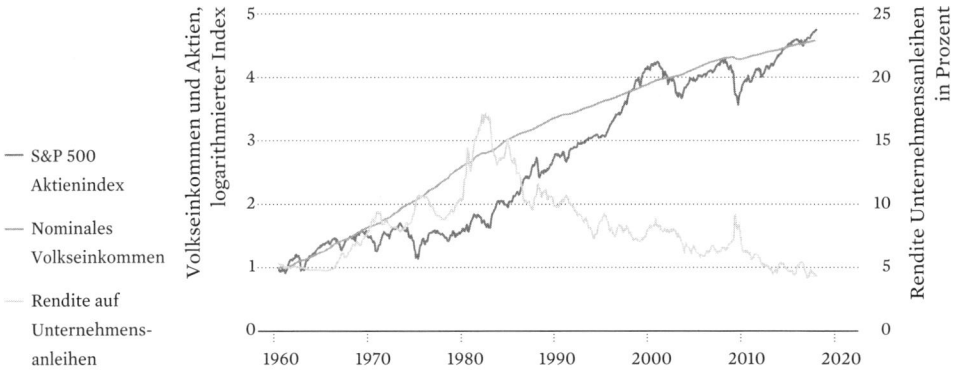

Grafik 3-5: Aktienmarkt, Volkseinkommen, Zinsentwicklung

Durchschnitt lag die Teuerung bei 6,2 Prozent pro Jahr. Kaufkraft-bereinigt ist der Wert der Aktien also um gut 3 Prozent pro Jahr ge-fallen.

Das ist eine interessante Beobachtung, die die häufig gehörte Aussage relativiert, dass Aktien, weil sie eine Investition in die reale Wirtschaft repräsentieren, einen effektiven Inflationsschutz für An-leger darstellen sollen. Der Anleger durfte neben der Veränderung des Werts seiner Aktien im gleichen Zeitraum zwar auch noch Dividenden einnehmen. Berücksichtigt man dies, resultierte eine Gesamtrendite von durchschnittlich 7,3 Prozent, also gut 1 Prozent mehr als die Inflationsrate. Hätte man das Geld aber jeweils für drei Monate am Geldmarkt angelegt, wäre der Wertzuwachs bei durchschnittlich 7,9 Prozent pro Jahr gelegen. In Phasen steigender Zinsen kann es also durchaus passieren, dass die langfristig mit ho-hen Renditen, aber auch mit hohem Risiko ausgestatte Anlageform Aktien schlechter abschneidet als eine banale Geldmarktanlage.

Phasen steigender Zinsen sind aber schlecht für den Aktienmarkt, …

Seit 1984 hat sich das Blatt am Aktienmarkt dagegen gewendet. Die Zinsen sind vor dem Hintergrund einer erfolgreich auf Infla-tionsbekämpfung ausgerichteten Geldpolitik deutlich gefallen. Tat-sächlich lag das Zinsniveau für Unternehmensanleihen gut 30 Jahre nach seinem Höhepunkt erst wieder zur Mitte dieses Jahrzehnts auf seinem Anfangsniveau von 5 Prozent. Der Wertzuwachs im Aktien-markt über diesen Zeitraum betrug satte 8,6 Prozent pro Jahr und damit mehr als das Zweieinhalbfache des Werts der vorhergehen-den 20 Jahre. Gleichzeitig lag die Inflation nur bei 2,6 Prozent. Einer realen Wertsteigerung von 6,0 Prozent pro Jahr seit der Mitte der 1980er-Jahre steht also ein realer Wertverlust von 3,2 Prozent pro Jahr in der zwanzigjährigen Phase der steigenden Zinsen davor gegenüber. Das sind zwei verschiedene Welten für Anleger!

…fallende Zinsen entfachen dagegen ein Kurs-feuerwerk

Die Zahlen aus unserem Beispiel des US-Aktienmarkts sugge-rieren Ihnen nun eine Genauigkeit der Zusammenhänge, die nicht in allen Aktienmärkten auf die Kommastelle gleich ist. Bei genauer Betrachtung einzelner Märkte werden Sie finden, dass die Unternehmensgewinne in manchen Ländern etwas schneller oder langsamer gewachsen sind als das nationale Volkseinkommen. Das hängt auch mit der Frage zusammen, wohin die an der Börse gehandelten Unternehmen ihre Waren oder Dienstleistungen verkaufen. Wahrscheinlich ist das Wachstum des Welteinkommens bei der Beurteilung des Aktienmarkts eines exportorientierten Landes wie der Schweiz oder Deutschlands wichtiger als die Entwicklung der nationalen Wirtschaft. Qualitativ ergeben sich aber die gleichen Schlussfolgerungen auch bei der Betrachtung anderer Aktienmärkte. Der beschriebene Zinseffekt ist in der langfristigen Wirkung überall praktisch gleich spürbar.

Wichtig für mich ist, dass ich Ihnen mit dieser Betrachtung des US-Aktienmarkts verständlich machen kann, wie bedeutend die an sich simple Prognose ist, dass die Zinsen nicht noch einmal jahrzehntelang fallen werden. Gerade weil die meisten von uns sich kaum noch oder aufgrund ihres Alters gar nicht an eine Welt nicht fallender Zinsen erinnern können, ist es von grosser Bedeutung, sich vor Augen zu führen, welche starke Bedeutung der Zinstrend für Anlagerenditen besitzt.

Die zukünftigen Erträge von Finanzanlagen werden deutlich tiefer ausfallen als in den letzten 40 Jahren

Damit wird deutlich, dass die simple Prognose, dass die Zinsen in den kommenden Jahrzehnten im Trend nicht mehr fallen werden, impliziert, dass die wunderbaren Anlagerenditen der vergangenen 30 oder 40 Jahre sich in den kommenden Jahrzehnten nicht wiederholen werden. Diese Feststellung, die wohl zu dem wenigen Wissen gehört, dass wir über die zukünftige Wirtschaftsentwicklung besitzen, hat fundamentale Auswirkungen.

Zum einen müssen wir in unseren Erwartungen der Erträge von Finanzanlagen viel zurückhaltender werden. Bei der Beurteilung zum Beispiel der Frage, wie sehr Kapitalanlagen zur Lösung des Altersvorsorgeproblems in den westlichen Industrienationen beitragen können, dürfen wir nicht einfach leicht modifizierte Vergangenheitsdaten als Zukunftserwartungen benutzen. Die von den meisten Experten angewandten, im Wesentlichen auf den Erfahrungen der vergangenen 40 Jahre beruhenden Schätzmethoden für zukünftige Renditen liefern deutlich zu hohe Werte.

Zum anderen bedeutet dies auch, dass sich die optimale Zusammensetzung unserer Anlagen in unseren Portfolios ebenfalls nicht anhand von Vergangenheitswerten bestimmen lässt. Unterschiedliche Anlagen haben eine unterschiedliche Zinssensitivität. Der fallende Zinstrend hat die Anlageergebnisse systematisch zugunsten derjenigen Anlagen verzerrt, die stark zinsabhängig sind. Da den meisten Ertragsschätzungen in der Vermögensverwaltung aber diese verzerrten Daten zugrunde liegen, wissen wir, dass die Vermögen vieler Anleger nicht optimal investiert werden. Doch dazu mehr im folgenden Kapitel über Finanzanlagen.

Zinsen bestimmen auch die Preise von Obligationen und Immobilien

Den Effekt des Zinstrends auf die Preise unserer Anlagen findet man aber nicht nur am Aktienmarkt. Ganz eindrücklich ist der Bewertungseffekt von Zinsveränderungen auch bei Obligationen. Ist eine Schuldverschreibung mit einer festen regelmässigen Zinszahlung erst einmal ausgegeben, bewegt sich der Kurs der Anleihe so, dass der Gesamtertrag des Wertpapiers, bestehend aus der Differenz von Kaufpreis und Rückzahlungswert und den regelmässigen Zinszahlungen, sich den Marktgegebenheiten anpasst. Liegt zum Beispiel der Zins ein Jahr nach Ausgabe einer Anleihe unter dem Zinsniveau, das zum Ausgabezeitpunkt gegolten hat, wird der Marktpreis der Anleihe über ihren Ausgabekurs steigen. Der Verlust an Wert bis zur Rückzahlung gleicht dann die im Vergleich zur Marktverzinsung höhere fixierte Zinszahlung auf der Anleihe aus.

Intuitiv verständlich ist dabei, dass die Länge der Restlaufzeit der Anleihe die Stärke der Reaktion des Preises der Anleihe auf Zinsveränderungen bestimmt. Je weiter die Rückzahlung noch in der Zu-

Zinsreagibilität misst man mit der sogenannten Duration

131

kunft liegt, desto stärker reagieren die Kurse, weil sie für einen längeren Zeitraum den Zinsunterschied ausgleichen müssen. Somit reagieren langlaufende Obligationen stärker auf Zinsveränderungen als Obligationen mit kürzerer Restlaufzeit. Für diese Reagibilität von Finanzanlagen auf den Zins gibt es ein Mass, für das sich der Name «Duration» eingebürgert hat. Die Duration gibt an, wie stark sich der Kurs einer Anlage verändert, wenn sich der Marktzinssatz um 1 Prozentpunkt verändert.

Unterschiedliche Anlageformen haben also eine unterschiedliche Zinsreagibilität, weil sie eine unterschiedliche Laufzeit haben. Besonders hoch sollte die Duration von solchen Anlagen sein, die eine sehr lange Lebensdauer haben. Das Extrembeispiel einer ewigen Anleihe haben wir schon gesehen. Auch Aktiengesellschaften sollten im Idealfall eine lange Lebensdauer haben, die vielleicht nicht der Ewigkeit entspricht, aber doch länger als die einer normalen Anleihe sein sollte. Mit einer ebenfalls langen Lebensdauer warten Immobilien auf.

Auch Immobilien sind im Wert abhängig von den Zinsen Ein Grossteil unserer Immobilien wird allerdings nicht direkt mit dem Marktzins bewertet. Das liegt unter anderem daran, dass wir einen nicht unwesentlichen Teil unserer Wohnliegenschaften im Eigenbesitz haben und diese wohl nur sehr indirekt als Anlage betrachten. Dennoch reagieren auch die Preise, beispielsweise für Einfamilienhäuser, auf die Zinsentwicklung. So haben sicherlich die fallenden und schliesslich sehr tiefen Zinsen in den letzten Jahren zur Belebung der Immobilienmärkte in der Schweiz und in Deutschland beigetragen. Daneben gab es aber auch noch andere Faktoren. Die wohl wichtigsten weiteren Treiber der Nachfrage nach Immobilien sind die Bevölkerungs- und die Einkommensentwicklung, die letztlich die Zahlungsbereitschaft der Menschen für das Wohnen bestimmt. Gerade die Einkommensentwicklung wird bei der Beurteilung der Immobilienmarktentwicklung häufig unterschätzt.

Ähnlich wie wir bei der Gewinnentwicklung feststellen können, dass diese langfristig parallel zur Entwicklung des Volkseinkom-

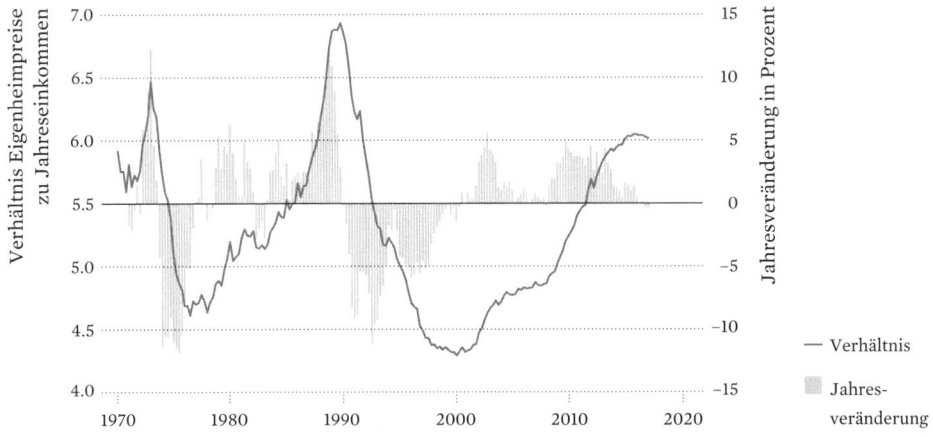

Grafik 3-6: Verhältnis von Eigenheimpreisen zu Einkommen in der Schweiz

mens verläuft, dürfen wir feststellen, dass langfristig die Menschen einen konstanten Anteil ihres Einkommens für Wohnen ausgeben. Grafik 3-6 stellt die Entwicklung des Verhältnisses von Eigenheimpreisen zu Einkommen dar. Über einen langen Zeitraum ist dieses Preisverhältnis tatsächlich stabil. Auch für die aktuelle Entwicklung lässt die Grafik einige interessante Rückschlüsse zu. So stellen wir fest, dass die Preise für Wohnimmobilien in der Schweiz in den vergangenen 15 Jahren deutlich schneller gestiegen sind als die Einkommen. Ebenso stellen wir aber auch fest, dass dieses Verhältnis in den 1990er-Jahren deutlich gefallen ist. Tatsächlich liegen wir aktuell auf zyklisch hohen Werten. Die Preisentwicklung hat sich aber deutlich abgeflacht. Von einem exponentiellen Anstieg der Preise, wie wir ihn Ende der 1980er-Jahre erlebt haben, sind wir also weit entfernt.

Beide Beobachtungen strafen diejenigen Lügen, die seit Jahren von einer Blasenentwicklung am Schweizer Immobilienmarkt reden. Weder haben wir, gemessen an den Einkommen, die Preise der letz-

Die Schweiz befindet sich nicht in einer Immobilienblase, aber die Preise sind hoch

ten Immobilienblase erreicht, noch können wir spekulative Immobilientransaktionen im grösseren Ausmass erkennen.

Von einer spekulativen Blase reden wir Ökonomen immer dann, wenn eine Anlage in erster Linie deshalb gekauft wird, weil man sie zu einem späteren Zeitpunkt zu einem höheren Preis weiterverkaufen möchte. In solchen Situationen hält die Spekulation genauso lange an, wie die Preise exponentiell steigen und so die erzielten Renditen für das immer grösser werdende Risiko einer Preisumkehr entschädigen.

Genau das war am Ende der 1980er-Jahre der Fall. Ich erinnere mich gut, dass ich damals als junger Student in St. Gallen in einem Haus gewohnt habe, dass in einem Jahr zweimal aus spekulativen Gründen den Besitzer wechselte. Wie zu erwarten war, stieg dann auch jeweils mit dem Besitzwechsel meine Miete. Eine solche Entwicklung sehen wir zurzeit nicht.

Aber kommen wir zurück zur Gegenwart. Wenn man bei der Beurteilung der aktuellen Situation hinzunimmt, dass die starke Zuwanderung der letzten Jahre in die Schweiz die Nachfrage nach Wohnraum deutlich hat ansteigen lassen und dass die Zinsen für Hypothekarkredite immer noch historisch niedrig sind, erscheint die Preisentwicklung als kaum noch überraschend. Dass die extrem tiefen Zinsen keinen stärkeren Effekt auf die Preise hatten, liegt wohl auch daran, dass zumindest professionelle Immobilienbewerter aufgrund der extremen Langfristigkeit der Anlagen die von ihnen für die Bewertung benutzten Zinssätze nur allmählich den Marktgegebenheiten anpassen. Mit der zurückhaltenden Bewertungspraxis sind wohl auch die Spielräume für die Kreditvergabe der Banken deutlich eingeschränkt.

Dass das der in diesem Punkt nicht regulierte Kapitalmarkt anders sieht, mag wohl niemanden überraschen. Deutlicher wird nämlich der Zusammenhang zwischen Zins und Wert bei den Immobilienanlagen, die am Kapitalmarkt gehandelt werden. Hier werden ganze Portfolios von Immobilien durch Fonds- und Aktiengesellschaften gekauft und bewirtschaftet. Diese Anlagevehikel müssen die jeweiligen Bewertungen, die sich an den nur langsam angepassten Bewertungszinsen der professionellen Immobilienschätzer orientieren, veröffentlichen. Tatsächlich werden die Anlagevehikel aber am Markt häufig zu einem höheren Preis gehandelt, als diese konservativen Schätzungen nahelegen. Die Differenz zwischen Marktpreis und Anlagebewertung nennt man Aufgeld oder auch Agio.

Grafik 3-7 stellt den Zusammenhang zwischen Agio und der Zinsentwicklung dar. Deutlich wird, dass die Aufgelder der Immobilienfonds steigen, wenn die Zinsen fallen. Das bedeutet aber nichts anderes, als dass die Marktbewertung von Immobilien sehr wohl und sehr stark auf Zinsveränderungen reagiert. Tatsächlich ist denn auch die Duration des Markts von Immobilienfonds deutlich grösser als die des Obligationenmarkts. Es ist also kein Wunder, dass die Immobilienfonds die grossen Renner bei den Anlagen in den vergangenen Jahren waren. Der stetige Zinsverfall hat ganz ähnlich wie bei den Aktien neben einer ansprechenden Rendite aus den Miet-

Anlagen in Immobilien können stark zinsreagibel sein

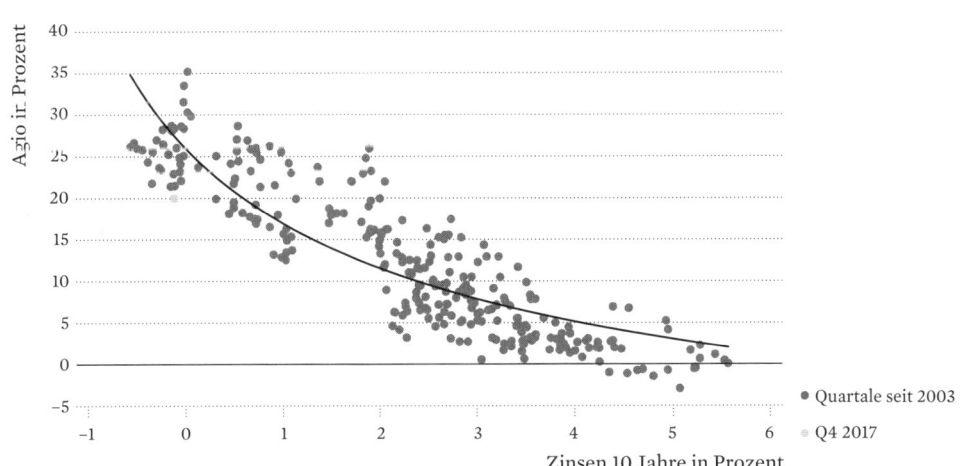

Grafik 3-7: Aufgeld von Immobilienfonds und Zinsentwicklung

135

einnahmen regelmässig deutliche Kursgewinne produziert. Damit muss man sich gut überlegen, ob sich Immobilienanlagen auch in Zukunft lohnen, wenn die Zinsen nicht mehr fallen. Auf jeden Fall besteht die Gefahr, dass die Werte der Anlagen bei einem etwaigen Zinsanstieg sehr deutlich sinken werden. Vielleicht reibt sich dann mancher Anleger verwundert die Augen ob des Wertverlusts der vermeintlich sicheren Anlageform Immobilie.

Der weitere Zinsverlauf ist also ganz entscheidend dafür, wie sich die Vermögenspreise in der Zukunft entwickeln werden. Und dennoch wird das, was wir für die Zinsentwicklung annehmen dürfen, in der öffentlichen Diskussion über Wirtschaft und Finanzmärkte komplett vernachlässigt. Tatsächlich tun wir so, als sei die augenblickliche Situation überhaupt nicht ungewöhnlich. Im Gegenteil wird häufig sogar implizit angenommen, dass die Zinsen in den kommenden Jahren weiter fallen werden. Das ist insbesondere fatal bei der Planung von Finanzanlagen, wie wir im folgenden Kapitel sehen werden.

Wechselkurse reflektieren nicht Zins-, sondern Inflationsunterschiede

Bevor wir uns aber den praktischen Fragen des Anlegens widmen, müssen wir noch eine Gruppe von Finanzmarktpreisen besprechen, deren Wert sich fundamental anders bestimmt als der Wert von Obligationen, Aktien oder Immobilien. Gemeint sind die Wechselkurse unserer Währungen, die häufig auch im Mittelpunkt der politischen Diskussion stehen. Letzteres liegt sicherlich auch daran, dass Währungen meist an Nationalstaaten gebunden sind. Die eigene Währung war Jahrhunderte lang Ausdruck staatlicher Souveränität, und Währungspolitik war ein Mittel der Wirtschaftspolitik. So wurden zum Beispiel in der längsten Zeit des vergangenen Jahrhunderts die Austauschverhältnisse zwischen den Landeswährungen durch die

Staaten festgelegt. Für viele von uns ist es kaum noch vorstellbar, dass zum Beispiel der US-Dollar von 1949 bis 1973 zu einem konstanten Wechselkurs von damals 4,375 Schweizer Franken getauscht werden konnte.

Dass heute der US-Dollar deutlich weniger wert ist, lässt sich mit Rückgriff auf die Überlegungen des uns schon aus dem Kapitel zur Inflation bekannten spanischen Gelehrten Martin di Azpilcueta erklären. So hatte Azpilcueta im Jahr 1556 bemerkt, dass sich die spanische Währung trotz des enormen Zuflusses an Reichtum durch den Raub des lateinamerikanischen Silbers entgegen der allgemeinen Erwartung nicht auf-, sondern abgewertet hatte. Der Wert einer Währung hatte offensichtlich nichts mit dem Reichtum oder dem Wohlstand eines Landes zu tun. Stattdessen beobachtete er, dass die Preise in Spanien aufgrund der Zunahme der Silbergeldmenge gestiegen waren. Ausländische Waren wurden dadurch im Vergleich zu inländischer Ware deutlich günstiger. Damit stieg die Nachfrage nach ausländischer Währung, und die spanische Währung wurde verkauft, um die günstigeren Importe zu tätigen.

Langfristig bestimmt die Inflationsentwicklung den Wert der Währungen

Bis heute ist dieser Zusammenhang für die langfristige Entwicklung des Werts einer Währung zu beobachten. Wir nennen die dahinterstehende Theorie auch Kaufkraftparität, weil der Wert einer Währung sich so lange anpasst, bis die handelbaren Güter in den betrachteten Ländern gleich viel kosten und damit das Geld währungsbereinigt die gleiche Kaufkraft besitzt.

Wichtig ist dabei zu verstehen, dass es bei einer strikten Anwendung der Theorie ausschliesslich um die Preisentwicklung von international handelbaren Gütern geht. Der von vielen Menschen gerne zitierte Big-Mac-Index der britischen Wirtschaftszeitschrift *Economist* ist daher kein guter Indikator für die Kaufkraftparität. Ein blosser Vergleich von Preisen für den Hamburger einer global tätigen Fastfood-Kette kann sogar deutlich in die Irre führen. Das liegt daran, dass man nicht beliebig viele Big Macs an einem Ort kaufen kann, um sie dann gewinnbringend an einen anderen Ort zu exportieren. Dagegen würde sich schon der Hersteller McDonald's deutlich wehren. Für den Big Mac ist McDonald's eine Art Monopolist, weil das Produkt markenrechtlich weltweit geschützt ist. Damit kann der amerikanische Schnellrestaurantriese auch die Preise so gestalten, dass die jeweilige Zahlungsbereitschaft der Konsumenten an den verschiedenen Standorten abgeschöpft wird. So reflektiert der relativ hohe Preis eines Big Macs in der Schweiz auch die hohen Einkommen der Schweizer und nicht nur die Produktionskosten.

Dabei sind die Preise handelbarer Güter ausschlaggebend

Natürlich bestimmen auch nicht nur die Preise eines einzelnen Guts die Wechselkursentwicklung. Aus diesem Grund benutzt man für die Bestimmung des handelsneutralen Wechselkurses Preisindizes für die Summe der in einem Land jeweils handelbaren Güter wie zum Beispiel die Grosshandelspreise. Grafik 3-8 verdeutlicht, wie eng langfristig der Zusammenhang zwischen der Preisentwicklung in den verschiedenen Ländern und der Wechselkursentwicklung ist. Eine höhere Inflationsrate wird praktisch um den gleichen Wert

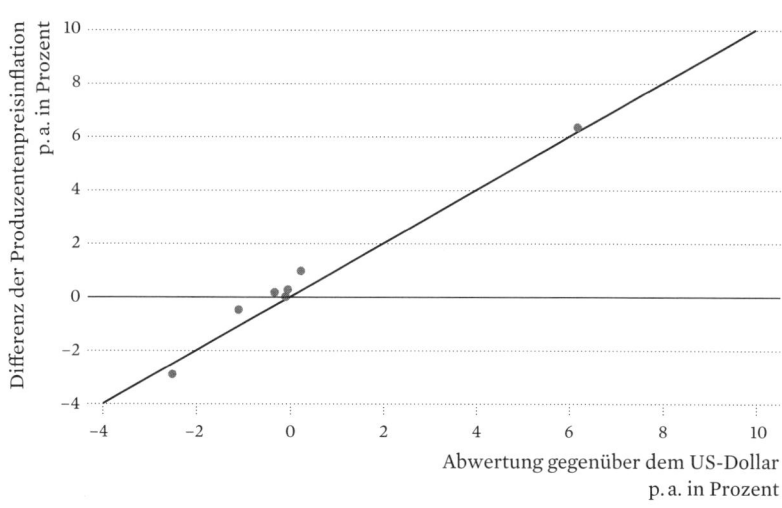

Grafik 3-8: Inflation und Wechselkursveränderung des US-Dollars seit 1980

durch eine Abwertung der Währung ausgeglichen. Langfristig bewegen sich die Produzentenpreise also währungsbereinigt parallel. Oder anders ausgedrückt: Langfristig bestimmt sich die Währungsentwicklung praktisch ausschliesslich aufgrund der Inflationsentwicklung. Währungen mit höherer Inflation sind schwächer als Währungen mit niedriger Inflation.

Zur Frustration vieler Marktbeobachter ist dieses jahrhundertealte Wissen nicht nur sehr mächtig, sondern auch das Einzige, was wir verlässlich über Währungen sagen können. Es gibt zwar einen schwachen empirischen Hinweis dafür, dass zusätzlich zu den Inflationsunterschieden auch die Auslandsvermögen eines Landes eine Rolle bei der Wechselkursentwicklung spielen können. Ein hohes Auslandsvermögen führt dazu, dass die im Ausland auf dem Vermögen erwirtschafteten Erträge tendenziell in die Heimatwährung zurückgewechselt werden. Die Effekte der unterschiedlichen Vermögenspositionen der Länder auf ihre Währungen sind aber eher schwach und nur in wenigen Wechselkursrelationen nachzuweisen.

Die von vielen intuitiv geglaubte und ständig wiederholte Behauptung, dass starkes Wachstum zu einer starken Währung führen würde, ist dagegen hundertfach empirisch widerlegt. Wie wäre es auch anders möglich, dass ein Land wie die Vereinigten Staaten über Jahrzehnte hinweg stark wächst, sich der US-Dollar aber gleichzeitig stark abwertet.

Wachstum hat keinen Einfluss auf die Stärke einer Währung,…

Auch in der kürzeren Frist des Konjunkturzyklus lässt sich ein solcher Zusammenhang nicht entdecken. Selbst dann nicht, wenn man für die Begründungen noch die Zinspolitik der Zentralbanken einspannt. Gerade Letzteres ist bei Finanzmarktteilnehmern immer noch eine sehr gängige Argumentationsweise. So wird häufig behauptet, dass eine Währung stärker oder schwächer werden muss, weil die jeweiligen Notenbanken ihre Zinspolitik ändern werden. Steigende Zinsen und damit eine zunehmende Zinsdifferenz sollen zu einer höheren Bewertung der Währung führen. Sie merken natürlich sofort, dass diese Erklärung einen Haken hat, weil Sie sich

…ebenso wenig wie die Zinsen

daran erinnern, dass Zinsprognosen kaum möglich sind. Anhand von unbrauchbaren Zinsprognosen brauchbare Wechselkursprognosen machen zu wollen, ist ein gewagtes Unterfangen, das natürlich regelmässig scheitert.

Jüngstes Beispiel ist die Kursentwicklung des weltweit wichtigsten Wechselkurses zwischen Euro und US-Dollar. In den letzten Jahren waren sich die Währungsstrategen der grossen Banken weltweit fast vollständig einig: Die Europäische Zentralbank wird länger die Zinsen tief lassen als die amerikanische Notenbank. Und in dem Masse, wie die amerikanische Notenbank sogar Zinserhöhungen vornehmen würde, müsste der amerikanische Dollar an Wert gewinnen. Prognosen von einem Austauschverhältnis von unter einem US-Dollar pro Euro waren gang und gäbe.

Tatsächlich hat die amerikanische Notenbank die Zinsen seit dem Dezember 2015 mehrfach angehoben, und die Europäische Zentralbank hat ihre Zinsen sogar im März 2016 nochmals gesenkt. Die Zinsprognose ist damit für einmal sogar eingetroffen. Der Wechselkurs hat aber auf die Ausweitung der Zinsdifferenz zugunsten des US-Dollars gar nicht reagiert. Seit Beginn 2015 bewegt sich der Euro in einem Band von 1.05 bis 1.15. Erst im Sommer 2017 scheint der Wechselkurs nach oben aus diesem Band ausgebrochen zu sein. Und das, obwohl auch im Sommer 2017 noch erwartet wurde, dass sich die Zinsdifferenz zwischen US-Dollar und Euro zugunsten des US-Dollars weiter ausweiten werde. Trotz gestiegener Zinsdifferenz und sogar der Erwartung einer weiter steigenden Zinsdifferenz ist der Euro also stärker geworden.

Einige von Ihnen werden nun denken, dass der Aufschwung des Euros zur Jahresmitte 2017 die Folge politischer Ereignisse, nämlich der Wahlen in den Niederlanden und Frankreichs, gewesen ist und dass das gar nichts mit Ökonomie zu tun hat. Wenn politische Ereignisse aber von so überragender Bedeutung sind, sollten wir Ökonomen dann nicht die Prognosen anhand von erwarteten Zinsveränderungen einfach sein lassen? Wir könnten den Politikwissenschaftlern das Feld räumen. Wobei sich dann wiederum die Frage stellt, ob deren Prognosemethoden wirklich verlässlicher sind.

Die Analyse von Wechselkursen empfinde ich als die Königsdisziplin der Finanzmarktökonomie. Ich denke dies aber nicht, weil ich glaube, dass wir unter Berücksichtigung all unseres Wissens aus den Sozial- und Wirtschaftswissenschaften eines Tages ein wunderbares Modell zur Prognose von Wechselkursentwicklungen erschaffen könnten. Ich bin dieser Überzeugung, weil die Analyse von Wechselkursen uns eine Bescheidenheit und Disziplin abverlangt, die wahrhaft königlich zu nennen ist.

Folgt man der Kommentierung des Markts für Fremdwährungen in den Medien, dann entsteht tatsächlich der Eindruck, dass die Schwankungen in den Preisen von unendlich vielen Einflussgrössen abhängen. So werden die täglichen Veränderungen der Wechselkurse genauso mit den neuesten Veröffentlichungen von Wirtschaftsstatistiken wie mit politischen Nachrichten jeder Art in Verbindung gesetzt. Manchmal sind es sogar Wetterphänomene oder Sportereignisse, die einen Einfluss auf den Wechselkurs haben sollen. All das mag in der kurzen Frist stimmen. Wie wir am Anfang des Kapitels gesehen haben, treiben Zukunftserwartungen die Finanzmarktpreise und die müssen nicht immer vernünftig sein.

Dennoch oder vielleicht gerade deswegen sind sich die Wissenschaft und viele Menschen mit praktischer Erfahrung einig: In der kurzen Frist lassen sich Wechselkurse nicht prognostizieren. Den meisten Finanzmarktökonomen fehlt aber leider die Disziplin, diese gesicherte Erkenntnis in ihre tägliche Arbeit einfliessen zu lassen. Ich selber habe lange gebraucht, um mich von dem Druck der Nachfrage von Kunden und Medien nach kurzfristigen Wechselkursprognosen zu befreien. Dabei durfte ich erfahren, dass die meisten Menschen einem die bescheidene Antwort, dass wir nicht wissen, wo in drei Monaten ein Wechselkurs sein wird, gar nicht übelnehmen.

Der Wunsch, dass die Wirklichkeit die eigenen Vorstellungen reflektieren soll, scheint gerade bei der Beurteilung von Wechselkursen besonders gross zu sein. Es scheint, als wären wir in solchen Situationen nicht mehr in der Lage, die tatsächliche Entwicklung wahrzunehmen. So habe ich Menschen kennengelernt, die seit Jahrzehnten einfach glauben wollen, dass der US-Dollar wieder eine starke Währung wird. Die Begründung, die dann herangezogen wird, ist in der Regel das liberale und dynamische Wirtschaftsmodell der Vereinigten Staaten. Schlagworte wie die vom flexiblen Arbeitsmarkt machen die Runde. Nur leider führen ein funktionierender Arbeitsmarkt und dynamisches Wachstum nicht einfach zu einer starken Währung. Die Realität ist eine ganz andere. Der US-Dollar verliert seit Jahrzehnten gegenüber der Deutschen Mark, dem Franken und dem Euro an Wert. Und den Grund dafür kennen wir: Die Vereinigten Staaten haben ganz einfach höhere Inflationsraten gehabt als die meisten anderen Industrienationen.

Auch gegenüber dem Euro scheint es solche politischen Voreinstellungen bei vielen Menschen zu geben. Ich erinnere mich gut, wie wir im Jahr 1995, als ich meine erste Stelle beim Schweizerischen Bankverein antrat, den Euro analysiert haben. Damals lag der Grundlagenvertrag für die Schaffung des Euros vor. Die Europäer hatten ihn 1992 in Maastricht beschlossen. Den Euro gab es allerdings noch nicht. Der wurde erst im Jahr 1999 eingeführt.

Wir kamen damals zum Schluss, dass aus ökonomischer Sicht der Euro streng genommen eine Fehlkonstruktion war. Den Kriterien für einen optimalen Währungsraum entsprachen die Mitgliedsländer nur teilweise. Darüber hinaus erschienen die wirtschaftspolitischen Institutionen zu schwach ausgeprägt zu sein, um grössere Verwerfungen einfach durchstehen zu können. Es war damit absehbar, dass es bei einem grossen Wirtschaftseinbruch zu grossen Spannungen kommen würde. Dennoch waren wir der Überzeugung, dass der blosse Befund der Nichtoptimalität des Euros nicht gleichzusetzen sei mit der Feststellung seiner Nichtüberlebensfähigkeit. Wir waren damals der Auffassung, dass vielmehr der politische Wille für die Zukunft des Euros entscheidend sein würde, nicht irgendwelche

142

ökonomischen Zusammenhänge. So prognostizierten wir, dass der Euro kommen und alles in allem eine ganz normale Währung sein würde. Immerhin erfüllten auch die Vereinigten Staaten oder Grossbritannien nicht alle Kriterien für einen optimalen Währungsraum.

Damals argumentierten noch viele, dass der Euro gar nicht kommen würde, was er dann natürlich doch tat. Nach der Einführung des Euros argumentierten die gleichen Menschen, dass dieser schon in wenigen Jahren zusammenbrechen werde. Das ist selbst in der Finanzkrise nicht passiert, obwohl die Finanzsysteme der Mitgliedsländer sehr unterschiedlich betroffen gewesen sind. In der darauffolgenden Eurokrise, die durch die schwierige fiskalische Situation einiger Teilnehmerländer der Währungsunion ausgelöst wurde, traten wieder teilweise die gleichen Menschen auf den Plan und sahen das Ende des Euros nun unmittelbar voraus. Mittlerweile ist auch die Eurokrise Geschichte, und wir müssen feststellen, ob uns das passt oder nicht, dass es den Euro immer noch gibt.

Tabelle 3-1 gibt die wichtigsten Eckdaten der Währungsräume der fünf weltweit am meisten gehandelten Währungen seit Einführung des Euros wieder. Nach 18 Jahren kann man vielleicht eine erste Bestandsaufnahme zum Leistungsausweis der Einheitswährung wagen. Eine solche Beurteilung des Euros fällt zur Enttäuschung vieler nur wenig dramatisch aus. Auf der negativen Seite sticht ein relativ niedriges Wachstum ins Auge. Das liegt zum einen an der demografischen Situation Europas. So vergleicht sich das Wachstum des Pro-Kopf-Einkommens deutlich vorteilhafter mit dem der anderen Nationen als die Gesamtwachstumsrate des Volkseinkommens. Das leicht tiefere Wachstum pro Einwohner ist unter anderem wohl auch die Folge der durch die fiskalischen Sparmassnahmen der letzten Jahre ausgelösten Rezession im Rahmen der Eurokrise gewesen. Immerhin hat das dazu geführt, dass die Europäer im Gegensatz zu den Briten, Amerikanern und Japanern einen vergleichsweise kleinen Anstieg der Verschuldung erleben mussten und aktuell deutlich günstigere Defizitwerte haben. Mit Verschul-

Ein Vergleich der Hauptwährungen zeigt, dass der Euro eine ganz normale Währung mit Stärken und Schwächen ist

Tabelle 3-1: Eckdaten der fünf wichtigsten Währungsräume seit Einführung des Euros

Zeitraum 1999–2016	Vereinigte Staaten	Gross-britannien	Japan	Eurozone	Schweiz
Konsumentenpreisinflation, Ø in %	2.2	2.0	0.0	1.8	0.5
Reales BIP-Wachstum, Ø in %	2.1	2.0	0.9	1.3	1.9
Reales BIP-Wachstum pro Kopf, Ø in %	1.2	1.3	0.7	0.8	0.9
Handelsgewichteter Wechselkurs, Δ in %	−12.2	−29.1	−22.3	16.7	44.8
Budgetdefizit, Ø in % des BIP	−3.2	−4.2	−6.5	−2.8	−0.4
Staatsverschuldung 2016, in % des BIP	106.9	121.9	217.7	108.9	44.4
Staatsverschuldung, Δ in PP des BIP	58.8	68.8	88.8	32.6	−8.1
Beschäftigungsquote 2016, in %	68.7	73.2	73.3	64.3	80.2
Beschäftigungsquote, Δ in PP	−5.2	1.7	4.4	3.3	1.8

dungswerten von über 100 Prozent des Volkseinkommens ist die Lage der Eurozone aber alles andere als komfortabel.

Auf der positiven Seite ist sicherlich zu vermerken, dass sich die Beschäftigung seit Einführung des Euros positiv entwickelt hat. Der Anteil der erwerbsfähigen Personen im Alter von 15 bis 64 Jahren, die tatsächlich Arbeit haben, ist über diesen Zeitraum gestiegen. Auch in Bezug auf die Inflation kann die Eurozone sich sehen lassen. Der Durchschnittswert von 1,8 Prozent entspricht ziemlich genau dem, was die Deutsche Bundesbank in den Jahren vor der Euroeinführung vorweisen konnte. Angesichts dieser Zahlen überrascht wohl auch kaum, dass der Euro keine schwache Währung gewesen ist. Gegenüber den mit den Anteilen am Handel gewichteten Währungen der Geschäftspartner hat der Euro sich sogar leicht aufgewertet. Gemessen an der Währungsstärke rangiert er auf Platz 2 nach dem Schweizer Franken.

Wenn Sie diese Zahlen ein wenig überraschen, dann habe ich mein Ziel erreicht. Ich wollte keine Werbung für den Euro machen.

Genau wie viele andere Zeitgenossen würde auch ich mir in vielen Politikfeldern eine andere europäische Politik wünschen. Ich bin auch immer noch der Überzeugung, dass der Euro, ökonomisch betrachtet, hätte besser konstruiert werden können. Was ich erreichen wollte, war Sie einfach dafür zu sensibilisieren, dass beim Thema Wechselkurs viel mehr Weltanschauung im Mittelpunkt der Berichterstattung steht als nüchterne ökonomische Analyse. Auf keinen Fall ähneln die in der Tabelle 3-1 wiedergegebenen Wirtschaftsstatistiken dem Bild, dass uns von den Euro-Apokalyptikern seit Jahren vermittelt wird.

Und genau darum geht es mir: Ich möchte an uns alle appellieren, bei unseren ökonomischen Betrachtungen mehr Daten sprechen zu lassen und weniger unsere politischen Voreinstellungen. Ich weiss, dass das in manchen Ohren naiv klingt, weil es ja eine Betrachtung der Welt ohne den Betrachter und seine Vorerfahrungen, Wünsche und Ideale nicht geben kann. Aber ich meine auch, dass es sich lohnt, wenn man sich mit Ökonomie beschäftigen will oder muss, sich auf die wenigen empirisch belegten Zusammenhänge zu konzentrieren. Stellen Sie sich nur den Schaden vor, den die Eurogegner mit ihren Untergangsprognosen bei den Menschen angerichtet haben, die ihnen all die Jahre vertraut haben.

Wir sollten also versuchen, uns auf das wenige Wissen zu konzentrieren, das wir in der Ökonomie besitzen. Wenn wir das tun, stellen wir fest, dass dieses auch zum Thema Wechselkurse sehr mächtig ist. Dabei wissen wir zumindest zwei Dinge: Zum einen wissen wir, dass der Trend in der Wechselkursentwicklung durch Inflationsdifferenzen bestimmt wird. Mit anderen Worten, wenn wir eine begründete Erwartung für die zukünftige Inflationsentwicklung der Länder haben dürfen, dann folgt daraus eine langfristige Prognose für die Wechselkursentwicklung.

Wechselkurse folgen im Trend der Inflationsdifferenz, was bedeutet, ...

Als Beispiel mag hier wiederum der Wechselkurs zwischen Euro und US-Dollar gelten. Wir haben im zweiten Kapitel gelernt, dass langfristig die Geldmengenentwicklung die Inflationsentwicklung bestimmt. Auch haben wir gesehen, dass die amerikanische Notenbank in den letzten Jahren mehr Geld geschaffen hat als ihr europäisches Gegenstück. Nimmt man noch hinzu, dass auch das Inflationsziel der Amerikaner über dem der Europäer liegt, gibt es viele gute Gründe anzunehmen, dass sich der US-Dollar im Vergleich zu den europäischen Währungen weiter abwerten wird.

… dass bei grossen Abweichungen mittelfristige Prognosen möglich werden

Die Tatsache, dass sich diese Trends aber nur träge entwickeln, erlaubt uns darüber hinaus manchmal auch Aussagen über die Wechselkursentwicklung in der mittleren Frist. So wissen wir zum anderen, dass sich die tatsächlichen Wechselkurse immer wieder an ihre Kaufkraftparität anpassen. Immer dann aber, wenn die Abweichungen der Wechselkurse von den Kaufkraftparitäten im Vergleich zu den Inflationsunterschieden zwischen den Währungen sehr gross sind, sind wir in der komfortablen Situation, dass wir damit tatsächlich Wechselkurse über einen Zeitraum von zwei bis vier Jahren prognostizieren können.

Ein wunderschönes Beispiel hierfür ist der Wechselkurs zwischen Euro und Schweizer Franken. In Grafik 3-9 sehen sie den Wechselkurs, den von uns geschätzten Wert der Kaufkraftparität und ein graues Band um diesen handelsneutralen Wechselkurs. Dieses Band gibt den Bereich an, in dem wir Ökonomen uns nach meiner Einschätzung mit Wechselkursprognosen zurückhalten sollten. Die Daten geben vor Einführung des Euros den sogenannten synthetischen Euro wieder, der sich als ein anhand der Volkseinkommen gewichtetes Mittel der Vorgängerwährungen ergibt. Das ist eine in der Finanzmarktanalyse übliche Darstellung.

Ganz deutlich ist zu erkennen, wie im Zeitablauf der Euro dem Trend der Kaufkraftparität gefolgt ist. Dabei haben in der langen Frist tiefere Inflationsraten für handelbare Güter in der Schweiz zu einem allmählichen Erstarken des Franken geführt. Das war volkswirtschaftlich vollkommen unproblematisch, weil der Wechselkurs eben nur die Inflationsunterschiede ausgeglichen hat. Die Schweiz

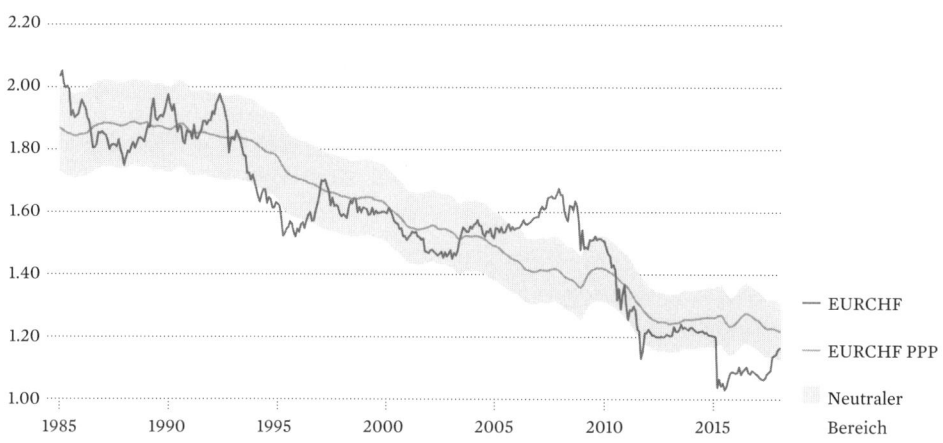

2.20

2.00

1.80

1.60

1.40

1.20

1.00

1985   1990   1995   2000   2005   2010   2015

— EURCHF

— EURCHF PPP

Neutraler Bereich

Grafik 3-9: Wechselkurs des Euros in Schweizer Franken
und Kaufkraftparität (PPP)

konnte mit einem im Trend allmählich stärker werdenden Franken
bei anhaltender Vollbeschäftigung und gutem Wachstum gut leben.

Was wir aber auch erkennen, ist, dass der Wechselkurs um
diesen langfristigen Trend herum schwankt. Die Argumente für die
Abweichungen des Wechselkurses sind, wie wir betont haben, oft
mannigfaltig und leider nicht nur auf ökonomische Gründe zurück-
führbar. Ein Weglaufen des Wechselkurses von der Kaufkraftparität
lässt sich praktisch nie prognostizieren. Da wir aber wissen, dass
langfristig der Wechselkurs der Kaufkraftparität folgt, gilt auch: Je
weiter wir uns von der Kaufkraftparität wegbewegen, desto kleiner
wird die Wahrscheinlichkeit, dass wir uns noch weiter weg von
diesen Trendwerten der Wechselkursentwicklung entfernen.

Ausserhalb des neutralen Bereichs erscheint es uns damit möglich, Aussagen über die zukünftige Wechselkursentwicklung zu machen. Betrachtet man die Grafik genau, dann sieht man, dass auch
grosse Abweichungen von der Kaufkraftparität mehrere Jahre lang
anhalten können. Die in solchen extremen Phasen mögliche Wech-

selkursprognose lautet dann auch ganz defensiv, dass mit einer Rückkehr des Wechselkurses zu seinem handelsneutralen Wert innerhalb der kommenden drei Jahre zu rechnen ist.

Das klingt wiederum nicht nach einer grossen Prognoseleistung. Aber leider verdrängen die meisten Menschen, welche Kraft in diesem bescheidenen Wissen steckt. Ich weiss noch gut, wie ich kurz vor Ausbruch der Finanzkrise einen Vortrag an einer Tagung für Finanzchefs von Schweizer Grossunternehmen halten durfte. Ich war der erste Redner eines langen Tages mit Fachvorträgen. Die Nacht davor war für viele der Teilnehmer sehr kurz gewesen, wie das an guten Tagungen nun einmal so sein kann. Um die Aufmerksamkeit meiner Zuhörer zu erhöhen, habe ich am Anfang des Vortrags gefragt, mit welchem Wechselkurs denn die Finanzchefs für die kommenden Jahre budgetieren würden. Damals lag der Euro bei über 1.60 Franken. Mit einem Wechselkurs von unter 1.55 hatte nur ein Teilnehmer die kommenden Jahre geplant.

Auch nach dem Aufwertungsschock des Frankens im Januar 2015, der den Wechselkurs am 15. Januar nach einem kurzfristigen Abgleiten unter die Parität auf einen Wert von gut 1 Franken pro Euro katapultiert hatte, war für die allermeisten Beobachter eine Rückkehr zu Kaufkraftparität innerhalb absehbarer Zeit unvorstellbar. In beiden beschriebenen Situationen haben wir argumentiert, dass sich der Wechselkurs mittelfristig wieder in Richtung seiner Kaufkraftparität bewegen wird. In beiden Fällen hatten wir im Konzert der Experten damit eine extreme Minderheitenposition.

Dabei hatten wir uns nur an dem wenigen Wissen orientiert, das wir Ökonomen zum Thema Wechselkurs besitzen. Und dieses Wissen suggeriert, dass wir bezüglich der Wechselkurse die meiste Zeit eigentlich nur erwarten sollten, dass sie im Trend der Inflationsdifferenz zwischen den Währungen folgen. Nur in den Situationen, in denen wir uns weit von der Kaufkraftparität entfernt haben, dürfen wir es wagen, Wechselkursprognosen zu machen. Das bedingt aber von uns als Ökonomen, dass wir die Bescheidenheit aufbringen, wenn wir im neutralen Bereich sind, zuzugeben, dass eine seriöse Prognose der Wechselkursentwicklung nicht möglich ist. Wie mächtig eine solche zurückhaltende Positionierung aber sein kann, werden wir im kommenden Kapitel, wenn es um unsere Anlagen geht, sehen.

Schlussfolgerung: Das Finanzmarktumfeld zwingt zum Umdenken

Wir haben in diesem Kapitel einige grundlegende Überlegungen zur Preisbildung an Finanzmärkten angestellt. Im Mittelpunkt standen dabei zwei Wirkungszusammenhänge: Zum einen sind Finanzmarktpreise sehr stark von Erwartungen getrieben. Der Wert einer Finanzanlage reflektiert die Hoffnung auf zukünftige Erträge und nicht wie bei normalen Dingen des täglichen Lebens den unmittelbaren Nutzen ihres Gebrauchs. Zum anderen spielt das Zinsniveau eine wesentliche Rolle bei der Beantwortung der Frage, wie viel die zukünftigen Erträge heute wert sind. Über die Veränderungen der Preise reguliert sich auch die bei einer Anlage erzielbare Rendite. So werden sehr attraktive Anlagen so lange in ihrem Preis steigen, bis das Verhältnis von Ertrag und Einstandspreis so weit gesunken ist, dass die erwartete Rendite marktgerecht erscheint.

Das aktuelle, historisch niedrige Zinsniveau impliziert damit zukünftige Erträge, die deutlich hinter dem zurückbleiben werden, was wir in den vergangenen Jahrzehnten gewohnt waren. Die seit dem Anfang der 1980er-Jahre konsistent fallenden Zinsen haben zu gewaltigen Kurssteigerungen unserer Anlagen geführt, die sich nicht mehr wiederholen werden. Bleiben die Zinsen so tief wie im Augenblick, müssen wir damit rechnen, dass unsere zukünftigen Erträge deutlich tiefere Werte erreichen. Steigen die Zinsen sogar parallel zu dem erwarteten allmählichen Anstieg der Inflation an, kann es zu langanhaltenden Phasen von Kursstagnation oder Kursrückgängen kommen.

Damit sind wir mit einem Ausblick für die Finanzmärkte konfrontiert, der uns nachdenklich machen muss. Auf jeden Fall ist klar, dass diejenigen von uns, die im Finanzmarktbereich tätig sind, grundsätzlich überlegen müssen, ob die Rezepte für den Umgang mit den Märkten, die in der Vergangenheit vielleicht erfolgreich waren, immer noch angemessen sind. Für uns als Sparer gilt darüber hinaus, dass wir unsere Anlagen neu überdenken müssen. Ein «Weiter so» wird uns wohl keine guten Resultate liefern.

Einige Gedanken zu der Frage, wie wir auf diese Herausforderung reagieren sollten, möchte ich im folgenden Kapitel beleuchten. Sie werden sehen, dass Ökonomen auch zu Fragen der Anlagepraxis einiges beitragen können. Dies gilt selbst und gerade dann, wenn sie in Bezug auf die Beurteilung ihrer eigenen Prognosefähigkeit sehr zurückhaltend sind.

Anlegen

« Truth is what works. »

William James (1842–1910)

Was tun mit dem lieben Geld?

Warum eigentlich soll man sparen? Das wird sich so mancher unter uns fragen angesichts der Tatsache, dass es schon seit Jahren praktisch keinen Zins mehr auf dem Sparkonto gibt. Schuldenmachen scheint dagegen das Motto der Zeit zu sein. Rekordtiefe Zinsen machen Kredite erschwinglich, und mit dem Zurückzahlen der Schulden nehmen es ja selbst die Nationalstaaten nicht so genau.

Warum eine professionelle Vermögensanlage so wichtig ist

Es klingt gewöhnungsbedürftig, aber eigentlich ist es genau diese Einstellung, die die Zentralbanken seit Jahren bei uns herbeiführen wollen. Schliesslich wurden in der Folge der Finanzkrise die Zinsen weltweit gesenkt, um die Konjunktur zu unterstützen. Um dies zu erreichen, war ein Ziel der Geldpolitik auch, den Konsumenten zu einem schnelleren Ausgabenwachstum zu motivieren. Soll das Wachstum der Volkswirtschaft über den Konsum beschleunigt werden, müssen die Privatausgaben schneller wachsen als die Einkommen. Und das geht natürlich nur, wenn die Menschen weniger sparen.

Dabei gilt für die meisten von uns, dass Sparen ein Muss ist. Wer nicht über ein grosses Vermögen verfügt, muss ja im Alter von irgendetwas leben. Die staatliche Altersvorsorge kann dazu angesichts der schiefen Alterspyramide kaum noch als eine verlässliche Quelle unseres zukünftigen Wohlstands gelten. Und auch die in der betrieblichen Vorsorge angesparten Mittel versprechen angesichts des im vorherigen Kapitel vorgestellten Finanzmarktausblicks und der weiter steigenden Lebenserwartung immer tiefere Renten.

Vielleicht ist die prekäre Situation unserer Altersversorgung, die durch die tiefen Zinsen noch verschärft wird, mit ein Grund, warum die Geldpolitik in den vergangenen Jahren trotz historisch einmaliger Expansion der Geldmengen und trotz teilweise negativer Zinsen kaum noch einen Konjunktureffekt erzeugen konnte. Angesichts der schrumpfenden erwarteten Erträge auf den Anlagen müssen die Menschen nämlich mehr sparen, um im Alter auf die geplanten Einkommen zu kommen.

Das Sparkonto schafft bestenfalls den Erhalt der Kaufkraft

Wer durch Ersparnisbildung versuchen möchte, seine Rente aufzubessern, ist gut beraten, dabei so viel von unserem bescheidenen Wissen über die Ökonomie zu berücksichtigen wie möglich. Wir werden in diesem Kapitel sehen, dass ein blindes Vertrauen in die Fähigkeiten der Finanzindustrie nur allzu schnell zu unbefriedigenden Anlageergebnissen geführt hat. Das Geld einfach auf ein Sparkonto zu legen, wie uns das unsere Grosseltern noch angeraten haben, hat aber in den meisten Fällen auch keinen Sinn. Wer in der Schweiz vor 50 Jahren eine solche Einlage getätigt hat, hat gerade einmal seinen Realwert durch die Anlage erhalten können. Wer vor 80 Jahren Geld auf ein Sparbuch eingezahlt hat, hat trotz Verzinsung heute 20 Prozent weniger Kaufkraft als damals.

Es braucht also Alternativen, aber welche und für wen?

Angesichts solcher Erfahrungen wird deutlich, warum viele von uns nach attraktiveren Anlageformen suchen, damit sich ihr Sparen tatsächlich auszahlt. Die Ausführungen aus dem vorigen Kapitel legen bereits nahe, dass es da mehr Möglichkeiten geben muss als nur das Sparbuch. Und tatsächlich haben zumindest in der Vergangenheit andere Anlageformen viel höhere Renditen erzielt.

Genau das soll Thema dieses Kapitels sein. Wir wollen miteinander anschauen, wie man mit unserem doch sehr begrenzten Wissen seine eigenen Anlagen besser positionieren kann. Es lohnt sich aus zwei Gründen, diesem Thema nachzugehen. Zum einen, weil bei einer langfristigen Anlage schon scheinbar geringe Renditedifferenzen über den Zinseszinseffekt zu sehr deutlichen Unterschieden im Anlageresultat führen. Und zum anderen, weil die Leistung der Vermögensverwaltungsindustrie in den letzten Jahrzehnten unbefriedigend gewesen ist.

Um die Herausforderungen des Anlegens wirklich zu verstehen, müssen wir uns zunächst mit der Unsicherheit der Zukunft an den

154

Finanzmärkten auseinandersetzen. Dies ist so wichtig, weil ein falsches Verständnis unseres Wissens über die zukünftige Entwicklung der Finanzmärkte auch zu falschen Anlagelösungen führt. Zu glauben, man wüsste mehr, als man weiss, ist auch hier gefährlich.

Ein wichtiges Konzept, das die Finanzökonomie für die Bewältigung des Problems der Unsicherheit benutzt, ist die auch mir sinnvoll erscheinende Theorie, dass es einen Zusammenhang zwischen Rendite und Risiko unserer Anlagen geben muss. In der Finanzmarktpraxis ist dieser Zusammenhang aber leider nicht so eng, wie manche Anbieter von Anlagedienstleistungen uns das glauben machen wollen. Dementsprechend ist es wichtig zu verstehen, wo uns dieses Konzept in der privaten Anlage helfen kann und wo eben nicht.

Ganz entscheidend dafür, ob Sie Ihre finanziellen Ziele erreichen, ist, dass Sie diese auch kennen und mit Ihrem Vermögensberater auch einen Plan entwerfen, wie diese erreicht werden können. Wo Ansatzpunkte für eine solche Planung sind, wollen wir in diesem Kapitel genauso anschauen wie wichtige Fragen der Implementierung Ihrer Vorstellungen. Zentral werden uns dabei Fragen der Anlagestrategie, aber auch der Auswahl und Kontrolle von Vermögensverwaltern beschäftigen.

All das klingt danach, als sei Anlegen eine komplizierte Angelegenheit. Glauben Sie mir, es ist am Ende viel einfacher, als die Vermögensverwaltungsindustrie uns weismachen will. Das liegt auch daran, dass wir gar nicht so viel wissen, um es wirklich sinnvollerweise kompliziert zu machen. Was es braucht, ist ein gewisses Grundverständnis der Zusammenhänge und dann die eiserne Disziplin, angesichts der Verlockungen des Anlegens den gesunden Menschenverstand nicht ausser Acht zu lassen.

Unsicherheit an den Finanzmärkten

Die wohl wichtigste Grundlage, um Fehler beim Anlegen zu vermeiden, ist ein Verständnis darüber, was Unsicherheit an den Finanzmärkten eigentlich bedeutet. Wir wollen uns das schrittweise miteinander anschauen und beginnen mit einem einfachen Beispiel: dem Vergleich von einer Anlage auf einem Sparkonto mit einer Aktienanlage.

Grafik 4-1 stellt die Entwicklung einer Sparanlage bei einer Schweizer Kantonalbank und einer Anlage im Schweizer Aktienmarkt einander gegenüber. Dabei geben die Zahlen den bereits um die Inflation korrigierten, also realen Wert der Anlagen wieder. Das Ergebnis ist beeindruckend und verlockend zugleich. Wer im Jahr 1926 100 Franken als Spareinlage getätigt hat, verfügt kaufkraftbereinigt heute um ein 50 Prozent grösseres Vermögen. Wobei zugegeben der gesamte Zuwachs an Vermögen bereits in den 1920er-Jahren stattfand. Seitdem ist, wie am Anfang des Kapitels beschrieben,

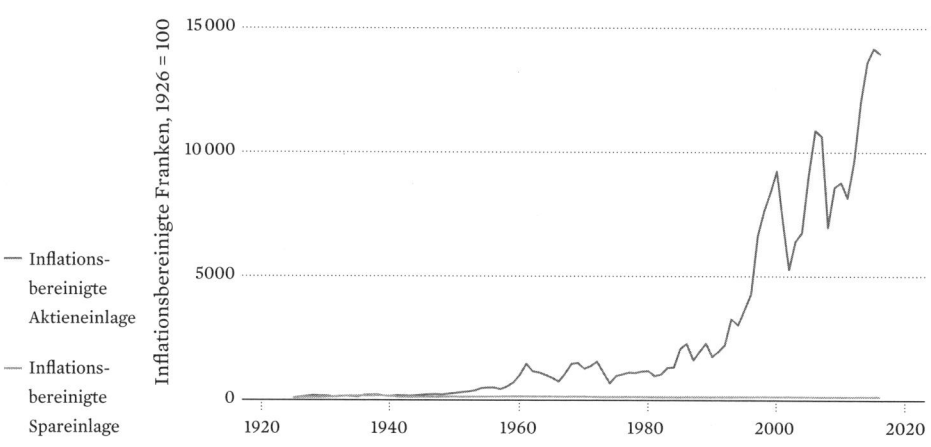

Grafik 4-1: Sparkonto vs. Aktienanlage in der Schweiz

156

nichts mehr passiert. Wer dagegen 1926 breit gestreut in den Schweizer Aktienmarkt investiert hat, kann heute über eine über 140-mal grössere Kaufkraft verfügen als damals.

Vielleicht kennen Sie solche Darstellungen. Viele Finanzberater, Vermögensverwalter und Banken verwenden sie, um Ihnen ihre Angebote schmackhaft zu machen. In der Regel wird das Beispiel benutzt, um dem verzagten Sparer Mut zu machen: Risikonehmen lohnt sich, und zwar gewaltig.

Zinseszinseffekte dramatisieren die Unterschiede in den Anlageklassen

Aber Vorsicht: Das Beispiel wirkt so eindrücklich, weil wir einen sehr langen Zeitraum betrachten, in dem sich der uns allen aus der Schule bekannte Zinseszinseffekt voll entfalten kann. Die Annahme hier lautet ja explizit, dass Sie die Erträge Ihrer Anlage wieder investieren. In unserem Beispiel steht einer realen Verzinsung von gerade einmal 0,5 Prozent auf dem Sparkonto die reale Rendite von gut 5,6 Prozent bei einer Aktienanlage gegenüber. Knapp 5 Prozent mehr Rendite für die riskantere Anlage im Aktienmarkt klingt nicht so dramatisch. Nach den mehr als 90 Jahren unseres Beispiels ergibt das aber mit Zins und Zinseszins einen Schlussbetrag, der unglaublich viel grösser ist als auf dem Sparkonto. Das Resultat ergibt sich aber eben nur, wenn der Anleger seine Erträge nicht verzehrt und immer wieder angelegt hätte.

Mittlerweile zwingt der Gesetzgeber solche Finanzanbieter, Ihnen dann noch zu sagen, dass historische Renditen keine Garantie für zukünftige Renditen sind. Natürlich wird nie erklärt, was es mit diesem bescheidenen Satz auf sich hat. Die meisten Menschen denken dann, dass es ja klar ist, dass die Zukunft nicht genau gleich aussehen wird wie die Vergangenheit. Dass qualitativ eine Aktienmarktanlage aber deutlich attraktiver sein wird als ein Sparbuch, wird sicher nicht infrage gestellt. Dabei gäbe es durchaus berechtigte Gründe zur Skepsis bezüglich dieses Beispiels.

So stellt sich schon die Frage, warum in solchen Rechenexempeln meist das Augenmerk auf die Vereinigten Staaten oder die Schweiz gelegt wird und nicht auf Deutschland, die Tschechische

Problem 1: Häufig basieren Finanzmarktanalysen auf zu positiven Daten

Republik oder Argentinien. Die Antwort auf diese Frage ist natürlich einfach. In Deutschland brach der Aktienmarkt in der Hyperinflation der 1920er-Jahre und im Zweiten Weltkrieg zweimal komplett zusammen. Die Aktionäre der ostdeutschen Firmen wurden nach dem Zweiten Weltkrieg sogar enteignet. In der Tschechischen Republik erging es den Aktionären nicht anders, und Argentiniens Aktienmarkt blieb, von politischen Krisen gebeutelt, eine riesige Enttäuschung. Alle drei Länder gehörten zu Beginn des letzten Jahrhunderts zu den zehn wichtigsten Volkswirtschaften der Welt. Hätten Sie damals gedacht, dass die Aktienmärkte dieser Länder in der Zukunft so schwach abschneiden würden?

Wer also unterstellt, dass wir aus dem Beispiel des Schweizer Aktienmarkts etwas für unser Sparverhalten lernen können, unterstellt wohl auch, dass es dazu die Annahme braucht, dass die Schweiz wiederum so erfolgreich sein wird wie in den vergangenen fast 100 Jahren. Das Problem ist natürlich, dass wir das nicht wissen. Wir hätten es gerne, dass die Schweiz erfolgreich bleibt und dass auch Deutschland an seine Nachkriegsgeschichte anschliesst. Nur ist das Wünschbare nicht immer das wirklich Erwartbare. Hier besteht also ein erhebliches Prognoserisiko.

Ein solches Ausblenden von Misserfolgen, das sich in einer zu positiven Darstellung der Daten auswirkt, nennt der Experte verniedlichend «Survivorship Bias». Wir finden diesen Effekt in vielen Zahlen zu den Finanzmärkten. So basieren unsere Statistiken zur Entwicklung von Finanzanlagen wie etwa Hedgefonds oder Private Equity grösstenteils auf den Anlagevehikeln, die am Markt erfolgreich waren. Die vielen gescheiterten Fonds-Manager verschwinden einfach aus den Statistiken. Auf diese Art und Weise geben viele unserer historischen Daten, die wir zur Beurteilung von modernen Finanzanlagen besitzen, wohl ein zu positives Bild wieder, was das zukünftige Renditepotenzial angeht.

Die Tendenz, die Renditepotenziale zu überschätzen, kommt auch daher, dass wir über viele Anlageformen erstaunlich wenige

Daten haben. So liegen verlässliche und international vergleichbare Zahlen zur Entwicklung einer Vielzahl von Aktien- und Obligationenmärkten erst seit den 1980er-Jahren vor. Unsere Daten zur Entwicklung moderner Anlageklassen sind noch viel jünger. Gute Daten zu insbesondere den riskanteren Anlagen im Schwellenländerbereich, aber auch für gewisse alternative Anlageformen, liegen nur für die letzten zwei bis drei Jahrzehnte vor. Das ist problematisch, weil sich zum Beispiel das Verhalten der Anlageklassen im Konjunkturzyklus anhand dieser Daten kaum bestimmen lässt. Schliesslich betrachten wir nur zwei oder drei Zyklen. Noch problematischer ist das aber natürlich, weil damit der Grossteil aller Finanzmarktdaten aus der Phase stammt, in der die Zinsen im Trend gefallen sind, was zu vorläufig gar nicht wiederholbaren ungewöhnlich hohen Erträgen von zinssensitiven Anlagen geführt hat. Sie sehen, wir wissen wirklich wenig. Vor allem über das Verhalten dieser Anlageklassen bei steigenden Zinsen.

Verlässliche Daten über die meisten internationalen Anlagemärkte gibt es erst seit wenigen Jahren

Kommt hinzu, dass wir uns sehr schwer damit tun, die wirklichen Risiken von Finanzanlagen zu beurteilen. Häufig wird so getan, als ob ein Blick in die Vergangenheit ausreicht um zu verstehen, was die Risiken einer Anlage sind. Meist werden dann statistische Masszahlen herangezogen, um die Risiken aufzuzeigen. So würde ein ernstzunehmender Finanzberater das Beispiel vom Anfang dieses Kapitels auch dazu nutzen, darauf hinzuweisen, dass es im Schweizer Aktienmarkt insgesamt zwar sehr positive, aber phasenweise auch immer wieder negative Renditen gegeben hat.

Zur Risikobeurteilung reicht ein Blick in den Rückspiegel nicht aus

So gab es seit 1926 am Schweizer Aktienmarkt sechs Episoden, in denen der reale Ertrag der Anlage aus Kursveränderung und Dividenden mehr als 25 Prozent im negativen Bereich gelegen ist. Im Schnitt brauchte der Wert der Anlagen dann mehr als sechs Jahre, um wieder das vorherige Höchst zu erklimmen. Nehmen Sie den jüngsten Rückschlag des Aktienmarkts nach der Finanzkrise. Der Schweizer Aktienindex SMI stand auch zehn Jahre nach der Finanzkrise kaum höher als am Vorabend der Krise. Zwischenzeitlich war er aber um mehr als 50 Prozent gefallen.

Wie lange es braucht, bis eine Anlage wieder ihren vorherigen Höchstwert erreicht, scheint mir ein für einen privaten Anleger wichtiges und gut verständliches Mass für Risiko zu sein. Neudeutsch wird dieses Mass auch «Time under Water» genannt. Gemeint ist der Zeitraum, den es braucht, bis der Wert einer Anlage wieder die vormaligen Höchstwerte erreicht hat. Das bedeutet in unserem Beispiel: Wer mehr als zehn Jahre auf sein angelegtes Geld verzichten kann und durch etwaige Kursturbulenzen auch nicht seine Anlagestrategie ändert, kann vielleicht mit einer reinen Aktienanlage gut leben. Vielleicht.

Problem 2:
Wir verwenden
oft die falschen
Konzepte
für den Umgang
mit Unsicherheit
Warum? Weil wir uns beim Blick in die Vergangenheit ja nur eine mögliche Vergangenheit anschauen. Wer sagt uns denn, dass es nicht auch ganz anders hätte kommen können? So spricht, wie wir im vorigen Kapitel gesehen haben, der Rückgang der Zinsen in den letzten Jahren dafür, dass die Aktienkurse beim erneuten Anstieg nach der Finanzkrise Rückenwind erhalten haben. Diesen werden sie aber angesichts des aktuell so tiefen Zinsniveaus vorläufig nicht mehr bekommen können. Der Blick in die Vergangenheit suggeriert uns Menschen leider immer irgendwie, dass auch die Zukunft sehr ähnlich sein könnte. Neben dem Risiko, dass unsere historischen Daten ein zu positives Bild der Finanzwelt zeichnen könnten, besteht also noch die immanente Gefahr, dass wir diese Daten sozusagen als einzig mögliche Repräsentation der Welt betrachten und damit überinterpretieren.

Der amerikanische Ökonom Frank Knight (1885–1972) hat zur Erklärung des Problems, auf das wir gestossen sind, in den 1920er-Jahren die Unterscheidung von Risiko und Ungewissheit eingeführt. Risiko war für ihn eine statistisch gut beschreibbare Situation der Unsicherheit. Dafür ist der Wurf eines Würfels ein gutes Beispiel. Ich kenne das Ergebnis des nächsten Wurfs nicht, weiss aber, dass das Ergebnis zwischen eins und sechs sein wird. Bei einem ordentlichen Würfel kommt jede Zahl gleich häufig vor, sodass sich im Mittel aller Würfe ein Wert von $(1+2+3+4+5+6)/6 = 3,5$ ergibt. Unge-

160

wissheit hingegen ist ein Zustand, in dem die Zukunft gar nicht bekannt ist. Um im Beispiel zu bleiben: Wir wissen nicht, wie viele Seiten der Würfel hat, was darauf steht und mit welcher Häufigkeit der Würfel auf einer Seite liegen bleibt.

Unsere wenigen Anfangsbemerkungen zum Beispiel von Spar- und Aktienmarktanlage, unsere Hinweise auf die Datenqualität und die Gefahr der Überinterpretation historischer Beobachtung erlauben uns bereits an dieser Stelle festzustellen, dass unser eigentliches Problem beim Anlegen, wohl ein Problem der Ungewissheit ist und nicht ein Problem, das sich wirklich gut mit Risikokonzepten der Statistik beschreiben liesse.

Der Ungewissheit über das, was in der Wirtschaft und an den Finanzmärkten passiert, haben wir versucht in den vorherigen Kapiteln unser bescheidenes Wissen gegenüberzustellen. Wir wissen eben schon etwas. Aber dieses Wissen ist nicht vergleichbar mit dem Wissen über den fairen Würfel, der uns nur Resultate von eins bis sechs bringen kann.

Das Risiko erwarteter Renditen

In der Finanzmarktforschung des vergangenen Jahrhunderts ist Frank Knights Unterscheidung leider weitestgehend auf der Strecke geblieben. So wird es Sie nicht verwundern, dass unsere Finanzindustrie heute ständig von Rendite und Risiko redet und regelmässig bei der Praxisanwendung dieser Konzepte an den ungewissen Finanzmärkten in Schwierigkeiten gerät.

In der Vermögensverwaltung wird das Anlageproblem meist als eine Situation des Risikos modelliert

Tatsächlich nehmen auch in der Vermögensverwaltung die meisten Finanzmarktökonomen nur an, dass wir in einer Welt des Risikos leben. In einer solchen Welt sind die zentralen Grössen, die es zu untersuchen gilt, die Verteilungen der zukünftigen Renditen der verschiedenen Anlageklassen. Ähnlich wie bei unserem Würfelbeispiel wird versucht, Prognosen über den Mittelwert der zu erwartenden Renditen zu bilden und die Streuungsbreite der auch von Zufallsereignissen abhängigen Renditen zu schätzen. Diesen Schätzwert für die Streuungsbreite finden die meisten Finanzmarktökonomen übrigens ein sehr praktisches Mass für die Unsicherheit der Renditeentwicklung. Dieser Wert wird auch Volatilität genannt. Streng genommen ist das ein statistisches Mass, dass eine Verteilung der Renditen unterstellt, die der Gauss'schen Normalverteilung entspricht. Das ist eine auch Glockenkurve genannte Verteilung von Zufallsvariablen, der wir in der Natur recht häufig begegnen.

Dabei ist das gängigste Mass des Risikos die Volatilität der Erträge Grafik 4-2 stellt die historische Verteilung der Rendite am Schweizer Aktienmarkt seit 1926 dar. Sie sehen nun nicht, wie Sie es bisher in diesem Buch immer gesehen haben, eine Linie entlang einer Zeitachse. Stattdessen haben wir gezählt, wie oft in den betrachteten Jahren eine bestimmte Rendite aufgetreten ist. Diese haben wir dann in Töpfen von einer Breite von 10 Prozentpunkten zusammengefasst. So haben wir zum Beispiel in drei Jahren eine

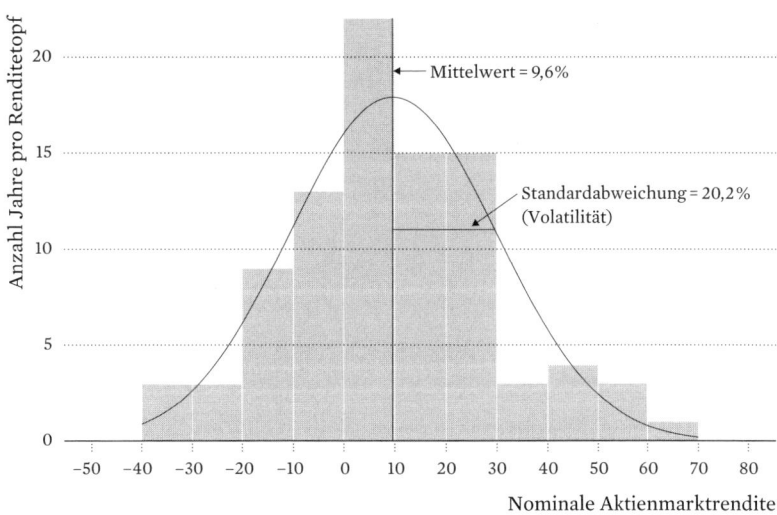

Grafik 4-2: Verteilung der Schweizer Aktienrenditen seit 1926

Rendite zwischen −30 und −40 Prozent erlebt. Genau gesagt, waren das die Jahre 1931, 1974 und 2008.

Aus der Grafik können Sie ebenfalls entnehmen, dass im Mittel aller Jahre die nicht inflationsbereinigte Rendite des Schweizer Aktienmarkts 9,6 Prozent betragen hat. Die eingezeichnete Glockenkurve zeigt Ihnen, wie eine Normalverteilung dieser Renditen mit einer Standardabweichung von 20,2 Prozentpunkten ausgesehen hätte. Dieser Wert für die Volatilität ist anhand der vorliegenden Daten geschätzt. In einer Normalverteilung lägen in etwa zwei Drittel aller Beobachtungen in einem Bereich von Mittelwert minus einer Standardabweichung bis Mittelwert plus einer Standardabweichung. Gut 95 Prozent aller Beobachtungen sollten in einem Band von Mittelwert plus/minus zwei Standardabweichungen liegen.

Natürlich sind sich die meisten Ökonomen bewusst, dass die Annahme einer Normalverteilung nur eine Näherung für das ist, was an den Finanzmärkten passiert. Tatsächlich wissen wir, dass die Extremwerte der Renditen häufiger auftreten als die Normalverteilung es vorsieht. Dennoch hat die Volatilität den unbestreitbaren Vorteil, in einer Masszahl eine quantitative Grösse für das Risiko einer Anlage zu vermitteln, mit der man leicht rechnen kann.

Vielleicht spüren Sie bereits jetzt, wie verlockend die Welt des Risikos für viele Menschen ist. Damit meine ich nicht die Gier der Menschen nach hohen Erträgen. Ich meine vielmehr, dass, wenn man die Unsicherheit der Finanzmärkte mit Risikokonzepten beschreibt, man plötzlich wunderschöne Berechnungen anstellen kann über Dinge, über die man eigentlich kaum etwas weiss, weil sie eben ihrem Wesen nach ungewiss sind. Dieser Verlockung zu widerstehen, ist wirklich schwer. Wer wollte nicht die Sorgen und Ängste, die Ungewissheit auslöst, gegen eine mathematische Genauigkeit eintauschen?

Dass diese Genauigkeit angesichts der Ungewissheit über die Zukunft nur eine Scheingenauigkeit ist, erschliesst sich vielen Finanzmarktökonomen heute nicht mehr. Vielleicht weil sie Frank

Knights Überlegungen gar nicht kennen oder ganz einfach aus Bequemlichkeit. Die Gefahr, das Historische zum Faktischen zu erklären, ist damit enorm gross geworden. Wer würde sich nicht gerne einmal überlegen, wie die optimale Anlagestrategie für die Vergangenheit ausgesehen hätte? Aber wenn man die Proportionen für das Portfolio der verschiedenen Anlageklassen einmal bestimmt hat, wie viel Überwindung braucht es dann, diese historisch optimalen Gewichte nicht auch als Richtschnur für die Zukunft zu nehmen?

Aber selbst wenn man dieser Versuchung widerstehen kann und nicht einfach historische Durchschnitte zur Bestimmung der für die Zukunft erwarteten Renditeverteilungen verwendet, gerät man in der Welt des Risikos schnell auf die schiefe Bahn. Das liegt daran, dass man zur Bestimmung der Portfoliogewichte der verschiedenen Anlageklassen eben Verteilungen von Erträgen und deren gegenseitige Abhängigkeit annehmen muss. Ob man das explizit Prognose nennt oder nicht, ist dabei vollkommen egal. Jede in dieser Modellwelt errechnete Strategie nimmt zumindest implizit eine Form der zukünftigen Verteilung der Anlageerträge der verschiedenen Anlageklassen an.

Um diese Prognoseproblematik zu entschärfen, bedient sich die Finanzmarkttheorie des schon erwähnten Zusammenhangs zwischen Risiko und Rendite. So müssen nicht die tatsächlichen Renditen der Anlageklassen vorhergesagt werden, sondern nur der Mehrertrag, den eine riskante Anlage im Vergleich zu einer praktisch risikofreien Anlage erbringen soll. Diese sogenannten Risikoprämien sollten leichter zu schätzen sein, weil zumindest einmal der Zinssatz nicht mehr prognostiziert werden muss.

Dass aber auch solche Finanzmarktprognosen nicht ganz einfach zu machen sind, wird Sie nicht überraschen. Grafik 4-3 gibt Ihnen die Prognosefehler von Prognosen für die Risikoprämien des US-Aktienmarkts wieder. Die Daten stammen aus einer sehr einflussreichen Studie, die versucht hat, für den Zeitraum 1964 bis 2003 Zehnjahresprognosen für den amerikanischen Aktienmarkt

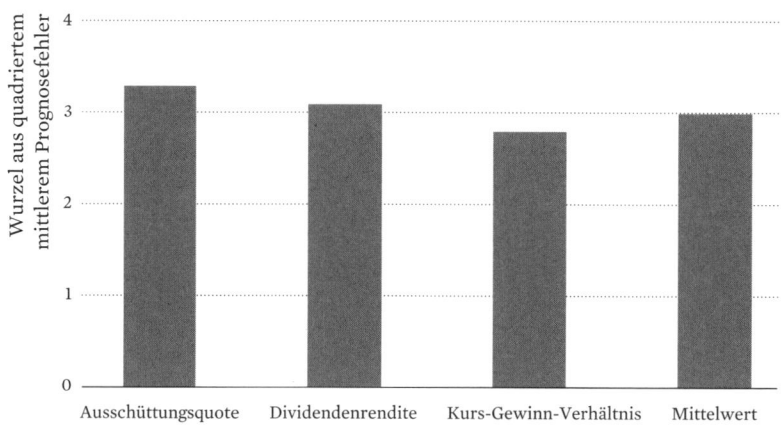

Grafik 4-3: Prognosefehler für Zehnjahresprognosen der US-Aktienprämie

anhand von gängigen Prognosemodellen zu machen. Sie sehen, dass die Unterschiede in der Prognosegenauigkeit immer ähnlich gross gewesen sind, egal, ob man sich an den Erklärungsfaktoren Gewinnausschüttungsquote der Unternehmen, Dividendenrendite oder Kurs- Gewinn-Verhältnis orientiert.

Mit einem mittleren Prognosefehler von gut 3 Prozentpunkten müssen wir eingestehen, dass wir tatsächlich nicht so wahnsinnig genau schätzen können. Eigentlich sind diese Schätzungen zu ungenau, um damit verlässliche Anlageempfehlungen geben zu können. Das liegt daran, dass es einen grossen Unterschied macht, ob wir 3 Prozentpunkte über oder unter dem erwarteten Wert oder auf dem erwarteten Wert liegen. Nehmen wir einmal an, wir würden aktuell mit einem Aktienertrag von 3,5 Prozent für die kommenden zehn Jahre rechnen. Bei dem Prognosefehler von 3 Prozentpunkten bedeutet dies, dass der wahre Wert mit gut zwei Dritteln Wahrscheinlichkeit zwischen 0,5 und 6,5 Prozent liegen wird. Erinnert Sie das an etwas? Das war in etwa der Unterschied zwischen dem historischen realen Ertrag auf der Anlage auf dem Sparkonto und im Aktienmarkt.

Und wie befreit sich die Finanzindustrie aus dieser Klemme? Sie versucht, ganz langfristige Schätzungen zu machen, die zu vernünftigen Ergebnissen bei der Berechnung der Anlagestrategie führen. Ganz langfristig sollte eben schon gelten, dass mehr Risiko mehr Ertrag bringt. Das Ganze wird dann so skaliert, dass bei der Optimierung der Anlagestrategie Portfolios herauskommen, die auch historisch betrachtet gut rentiert hätten. In der Praxis führt man eine Reihe von Restriktionen für die möglichen Ergebnisse der Berechnung ein, um keine extremen Portfoliolösungen zu bekommen.

Ich überlasse es Ihnen, dieses Vorgehen zu beurteilen. Für mich ist klar, dass man den Kunden ja irgendetwas empfehlen möchte, was sie akzeptieren und an das man selber glauben kann. In einer Gedankenwelt, in der die Unsicherheit der Finanzmärkte als Risiko abgebildet wird, ist es kaum möglich, zu anderen vernünftig erscheinenden Lösungsansätzen zu kommen. Allerdings sollten einen die grossen Schwierigkeiten der Methode, brauchbare Resultate zu liefern, zumindest nachdenklich stimmen, ob die Methode überhaupt angemessen ist.

Das Problem scheint für mich in der Anwendung des falschen Konzepts für die Bewältigung einer ungewissen Zukunft zu liegen. Das Problem der Unsicherheit der Finanzmärkte besteht eben nicht einfach darin, dass wir nicht wissen, wie die Renditen der Anlagen im nächsten Jahr aussehen. Wir wissen einfach zu wenig über die Verteilung der erwarteten Renditen, als dass wir ein allzu grosses Gewicht auf deren Schätzung bei der Bestimmung der Anlagestrategie legen dürfen. Dass dann dieser Ansatz nicht nur theoretisch, sondern auch in der Praxis nicht wirklich überzeugen kann, werden wir etwas später sehen.

Risiko und Rendite in der Praxis

Lassen Sie uns vorher aber noch ein wenig genauer auf unser Wissen zum Thema Risiko und Rendite schauen. Auch wenn unsere Masse für Risiko nur unvollkommen sind, so hat der grob vereinfachende Versuch, das Risiko einer Anlage zum Beispiel mit der Volatilität ihrer Erträge zu beschreiben, einige wichtige Praxisanwendungen. So ist die Einfachheit des Konzepts wahrscheinlich auch der Grund, warum Banken ihre Anlagekunden nach ihrer Risikobereitschaft und Risikofähigkeit in ganz simple Risikogruppen einteilen, denen eine sogenannte Zielvolatilität zugeordnet ist.

Als Anleger werden Sie von den Vermögens-verwaltern mittels einer von Ihnen angestrebten Zielvolatilität klassifiziert

Sie kennen sicherlich diese für normale Menschen etwas künstlich anmutende Befragung zum Thema Risiko. In der Regel sollen sie verschiedene Gewinn- und Verlustsituationen von hypothetischen Anlagen bewerten. Am Ende steht dann nicht nur die Erkenntnis, ob Sie viel oder wenig Risiko in Ihren Anlagen nehmen sollten, sondern auch eine anzuvisierende Volatilität Ihrer Portfolioerträge, anhand deren Ihnen dann eine Anlagelösung vorgeschlagen wird.

Im Durchschnitt unterscheiden die Banken und Vermögensverwalter fünf Anlegertypen. Die mit wenig Risikoappetit werden als konservativ oder einkommensorientiert bezeichnet. Die mittlere Risikokategorie wird meist als ausgewogen taxiert. Und darüber werden sie als dynamischer Anleger oder als reiner Aktienanleger eingestuft. Da die Finanzökonomie postuliert, dass Risiko und Rendite recht eng zusammenhängen, wird Ihnen in Aussicht gestellt, dass eine Anlage in einer höheren Risikoklasse langfristig einen höheren Ertrag abwirft.

Betrachten wir die letzten 30 Jahre, stellen wir fest, dass für gut diversifizierte Anlagen dieser Zusammenhang zu bestehen scheint. Allerdings ist die Beziehung zwischen Rendite und Risiko wesentlich weniger stabil, als Ihnen das wahrscheinlich bisher vermittelt wurde. Grafik 4-4 gibt die durchschnittliche historische Wertentwicklung der Anlagestrategien der Strategiefonds der Schweizer

Grossbanken UBS und Credit Suisse sowie der Fondsgesellschaft der Kantonalbanken in der Vergangenheit wieder. Solche Strategiefonds sollten mit ihrer Strategie die Hausmeinung des jeweiligen Instituts abbilden, wie die verschiedenen Anlegertypen optimal anlegen sollten. Die Punkte stellen von links nach rechts die Anlegertypen Einkommen, Konservativ, Ausgewogen, Dynamisch und Aktien dar.

Zwei Erkenntnisse drängen sich anhand der grafischen Darstellung auf. Zum einen sind die erzielten Renditen in den vergangenen Jahrzehnten rückläufig gewesen. Zum anderen ist ganz offensichtlich der Zusammenhang zwischen dem mit der Volatilität gemessenen Risiko und der erzielten Rendite in den letzten Jahrzehnten schwächer geworden. So rentierten die riskanten, stark aktienorientierten Fonds von 1987 bis 2006 gut 4,5 Prozentpunkte mehr als die am wenigsten riskanten Fonds. In den letzten zehn Jahren ist dieser Renditevorteil auf weniger als 2 Prozentpunkte geschmolzen. Die Risikoprämien scheinen also deutlich gesunken zu sein.

Riskant zu investieren, ist in den letzten Jahren weniger belohnt worden als früher

Sollte sich diese Beobachtung auch in Zukunft bestätigen, dann wäre das für viele Anleger höchst problematisch. Das kommt daher, dass die Zuordnung zu einem Anlegertyp eben nicht nur versucht, Ihre Risikofähigkeit zu bestimmen, sondern auch der Frage nachgeht, wie viel Ertrag Sie dafür erwarten, dass Sie bereit sind, ein bestimmtes Risiko zu tragen. Wenn sich die Beziehung von Risiko zu Ertrag, die am Markt zu erwarten ist, ändert, ist Ihre Zuweisung zu Ihrem Anlegerprofil wahrscheinlich nicht mehr richtig.

Die Sharpe-Ratio als Mass für den Ertrag des Risikos …

Das Verhältnis vom Mehrertrag, den eine riskante Anlage im Vergleich zu einer risikofreien Anlage erbringt, zu dem mit der Volatilität gemessenen Risiko nennt sich Sharpe-Ratio. Der amerikanische Ökonom William Sharpe (*1934) ist einer der Begründer der heutigen Finanzmarktökonomie. Eine risikofreie Anlage könnte für Ihre Zwecke das Sparkonto sein. In diesem Fall müsste man die Grafik 4-4 um drei Punkte ergänzen. Die durchschnittliche Verzinsung eines Sparkontos in den drei Zehnjahresperioden betrug 3,7, 1,0 und 0,3 Prozent pro Jahr. Wenn wir uns vorstellen, dass eine risikofreie

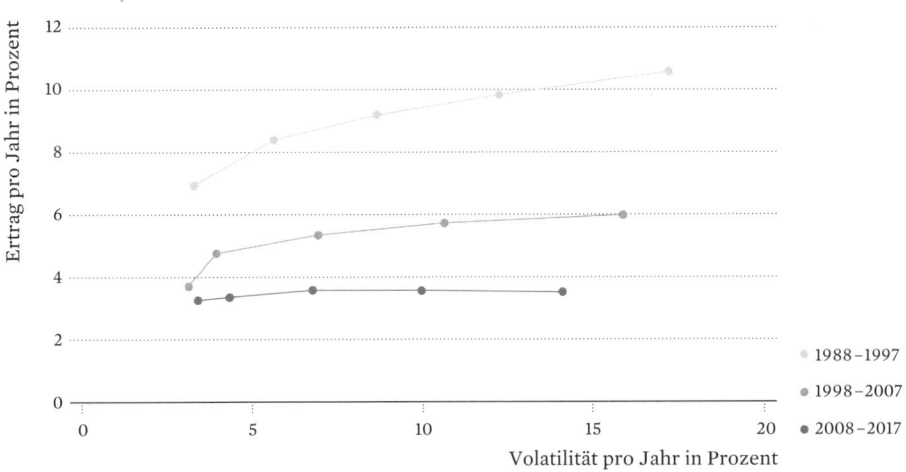

Grafik 4-4: Zusammenhang Rendite und Risiko von Schweizer Strategiefonds

Anlage keine Volatilität hat, wären dies die Achsenabschnitte auf der Renditeachse. Die Sharpe-Ratio entspricht dann der Steigung der drei so ergänzten Kurven. Sie sehen, die Sharpe-Ratio unserer Anlagen hat sich in den letzten Jahren praktisch halbiert.

Dass wir damit rechnen müssen, dass in den kommenden Jahren die Anlagerenditen auch weiterhin tief ausfallen werden oder angesichts des aktuell tiefen Zinsniveaus sogar noch tiefer ausfallen sollten als in der Vergangenheit, hatten wir schon mehrfach festgestellt. Dass für den Fall steigender Zinsen Anlagen mit grosser Zinssensitivität sogar über mehrere Jahre negativ rentieren können, ebenfalls. Da einige der stark risikobehafteten Anlagekategorien, wie zum Beispiel Aktien oder Immobilien, zu diesen Anlagen mit hoher Duration gehören, erscheint es als unsicher, dass in den kommenden Jahren tatsächlich die riskanteren Anlagen auch wieder eine deutlich höhere Rendite abwerfen werden. Damit besteht zumindest eine grosse Wahrscheinlichkeit, dass die zu erwartenden Risikoprämien heute kleiner sind als in den vergangenen Jahrzehnten.

... hat sich halbiert und wird wohl auch tief bleiben

Machen wir ein Beispiel. Nehmen wir an, dass Sie im Jahr 1996 angesichts Ihrer geäusserten Risikobereitschaft und -fähigkeit dem mittleren Anlegertyp «Ausgewogen» zugerechnet worden sind. Hätten Sie Ihre Erwartungen für den zukünftigen Ertrag an den Werten der letzten zehn Jahre ausgerichtet, hätten sie damit zugestimmt, dass Sie für eine Rendite von 10 Prozent pro Jahr eine Volatilität von knapp 11 Prozent akzeptieren würden. Bei einer solchen Rendite würde Ihr Vermögen in zehn Jahren um 150 Prozent zunehmen. Sie waren bereit, dafür in Kauf zu nehmen, dass angesichts der Volatilität vielleicht in einem, wenn es schlecht kommt, auch in zwei Jahren mit einem negativen Ertrag gerechnet werden muss.

Stellen wir die gleiche Überlegung für heute an. Bliebe nun das Risiko-Rendite-Verhältnis in den kommenden zehn Jahren dort, wo es in den vergangenen zehn Jahren gewesen ist, kommen wir auf ganz andere Zahlen. Bei einem Ertrag von knapp über 3 Prozent steigt Ihr Vermögen voraussichtlich nur noch um 40 Prozent. Bei einer Volatilität von 9 Prozent lässt die erwartete Verteilung der zukünftigen Erträge aufgrund des niedrigeren Mittelwerts aber erwarten, dass Sie in vier der kommenden zehn Jahre mit einem negativen Wert abschliessen werden.

Eigentlich hat sich der Ausblick sogar noch mehr verschlechtert: Da die Volatilität viel weniger zurückgegangen ist als der erwartete Ertrag, müssen wir zwar immer noch damit rechnen, dass es auch einmal zu grossen Einbrüchen an den Finanzmärkten kommen kann. Vielleicht werden diese aufgrund der etwas tieferen Volatilität sogar etwas weniger tief. Unsere Fähigkeit, diese Rückschläge dann wieder wettmachen zu können, ist aber aufgrund der tieferen erwarteten Erträge in der Zukunft schlechter geworden. Einmal ins Loch gefallen, kommen wir nur langsamer wieder heraus. Mit anderen Worten, auch das Risikomass «Time under Water» ist wohl deutlich gestiegen. Sind Sie sich jetzt immer noch sicher, dass Sie ein Kunde der Kategorie «Ausgewogen» bleiben wollen?

Was sollte Ihnen Ihr Vermögensberater nun raten? Sicher doch wohl nicht, dass Sie noch mehr Risiken eingehen sollten, wenn der erwartete Ertrag für das Eingehen von Risiko gesunken ist? Aber genau diesen Rat haben wir in den vergangenen Jahren immer wieder gehört und gelesen. Unter dem Stichwort «TINA» haben viele Finanzmarktexperten ihren Kunden geraten, vermehrt in Aktien zu investieren. TINA steht dabei als Abkürzung für «There Is No Alternative». Aktien sollten als Anlage also alternativlos sein, weil andere Anlageformen aufgrund der tiefen Zinsen keinen gescheiten Ertrag mehr abwerfen würden.

Veränderte Risikoprämien haben auch einen Effekt auf die für Sie optimale Anlagelösung

Dieser Rat erscheint mir in mehrfacher Hinsicht falsch. Sicherlich zielt er zu einseitig auf die Renditeerwartungen ab. Natürlich kann bei einer gesunkenen Sharpe-Ratio nur ein unveränderter Ertrag erwartet werden, wenn man das Risiko der Anlagen hochschraubt. Er vernachlässigt damit ganz offensichtlich die Risikobereitschaft der Kunden und wohl in manchen Fällen auch die Frage der Risikofähigkeit des einen oder anderen Anlegers. Der Rat ist aber wohl auch aus einem anderen Grund falsch: Er ist extrem prozyklisch. In einem fortgeschrittenen Konjunktur- und Aktienzyklus die Risiken zu erhöhen, hat aus meiner Sicht wenig Sinn und verdrängt eben, was wir über Wirtschaft und Finanzmärkte wissen. Wir kommen auf diesen Punkt noch zurück.

Ganz ehrlich gesagt, kann auch ich mir nicht vorstellen, dass es nicht einen positiven Zusammenhang zwischen der Rendite und dem Risiko einer Anlage geben sollte. Zumindest sollte gelten, dass vernunftbegabte Anleger für das Eingehen eines grösseren Risikos langfristig eine grössere Entschädigung, sprich eine höhere Rendite, erwarten. Auch kann ich mir nicht vorstellen, dass die Marktkräfte in der langen Frist nicht dazu führen werden, dass Marktteilnehmer mit systematisch falschen Erwartungen vom Markt verschwinden werden. Aber wie lange ist die lange Frist?

Wie unsere bisherigen Beispiele in diesem Kapitel gezeigt haben, ist die lange Frist auch früher schon recht lang gewesen. Erinnern

Sie sich? Die durchschnittliche «Time under Water» des Schweizer Aktienmarkts nach grossen Rückschlägen betrug gut sechs Jahre. Wenn Ihnen das lang vorkommt, bedenken Sie bitte, dass es sich bei der Schweizer Börse um einen der erfolgreichsten Börsenplätze der Welt handelt. In Japan hat die Börse ihren Ende der 1980er-Jahre erreichten Höchststand auch heute noch nicht wieder erreicht!

Sicherlich ist heute angesichts der tiefen Zinsen und der damit allgemein tieferen Renditeerwartungen die lange Frist länger geworden. Es braucht bei niedrigeren erwarteten Erträgen mehr Zeit, bis etwaige Rückschläge verdaut sind. Ich denke, dass auch diese Erkenntnis zu dem wenigen Wissen gehört, das wir aktuell über die Finanzmärkte und das Anlegen besitzen.

Die Frage, wie lange die lange Frist wirklich ist, ist denn auch für Sie sehr wichtig. Erst wenn Sie wissen, was langfristig bedeutet, können Sie wirklich entscheiden, welche Risiken Sie eingehen wollen. Da dies so immens schwierig zu beantworten ist, ist für viele praktische Fragen des Anlegens der Entscheid, wann und wofür Sie das Geld brauchen, viel bedeutender als so mancher Finanztheoretiker das denken mag. Vielleicht ist das Sparbuch für bestimmte Zwecke doch keine so dumme Anlage, wie uns das Eingangsbeispiel suggeriert hat. Um das zu verstehen, müssen wir uns aber von der viel zu einfachen Modellwelt lösen, die in der privaten Vermögensverwaltung heute immer noch überwiegend zur Lösung von Anlagefragen herangezogen wird.

Vom Menschenbild der Finanzökonomie

Dass sich die Theorie mit dem Sparbuch so schwertut, liegt auch ganz einfach daran, dass in den Grundmodellen der Finanzökonomie der Mensch sehr vereinfacht dargestellt ist. Bitte verstehen Sie das nicht als Kritik an diesem Zweig der Ökonomie. Modellhafte Vorstellungen müssen vereinfachen, sonst helfen sie uns nicht, die

172

Komplexität unserer Welt auf ein verdaubares Mass zu reduzieren. In den Jahren, in der unsere Finanzmarkttheorie das Licht der Welt erblickt hat, waren sowieso unsere mathematischen und statistischen Fähigkeiten nicht dazu angetan, mit komplizierteren Modellen umgehen zu können.

Dennoch müssen wir feststellen, dass hinter den meist auch heute noch verwendeten Modellen ein Menschenbild steht, das weit von der Realität des privaten Anlegers entfernt ist. Dabei handelt es sich um ein repräsentatives Individuum, das ewig lebt, genau weiss, was es will, und das, was es will, nie ändert. Das ist eine Vorstellung, die vielleicht geeignet ist, die Anlagestrategie für eine grosse Gruppe von Menschen herzuleiten. So könnte man sich vorstellen, dass eine Lebensversicherung oder eine Pensionskasse, die über sehr lange Zeit Geld für viele Menschen anlegen muss, mit einem solchen ewig lebenden repräsentativen Kunden im Kopf operieren kann.

Aber ist ein solches Modell wirklich in der Vermögensverwaltung für Privatkunden zu gebrauchen? Wer kann von sich behaupten, dass seine Ziele sich im Laufe des Lebens nicht ändern? Wie viele Pläne haben wir, die sich nie realisieren lassen? Ganz einfach, weil das Leben immer ein Einzelfall ist. Vielleicht hatten wir nie vor zu heiraten und haben es dann doch getan. Vielleicht wollten wir Kinder haben, aber es ging nicht. Vielleicht wollten wir den Lebensabend mit unserem Partner verleben, aber der ist viel zu früh gegangen. Schon allein die Feststellung, dass die Hälfte aller Ehen, die ja bekanntlich, bis dass der Tod sie scheidet, gelten sollen, geschieden wird, sollte uns stutzig machen, wenn es um die Annahme sich langfristig nie ändernder Pläne geht.

Den wohl gravierendsten Fehler, den die Finanzökonomie lange Zeit gemacht hat und den die meisten Vermögensverwalter in ihren Prozessen perpetuiert zu haben scheinen, ist aber die irrige Annahme, wir Menschen hätten nur ein Anlageziel und nur eine Risikopräferenz. Eigentlich haben gute Anlageberater es immer gewusst, aber spätestens seit dem Aufkommen der verhaltensorientierten

Der Mensch ist kein Finanzroboter

Ökonomie ist es auch von der Theorie akzeptiert: Wir Menschen haben mehrere finanzielle Ziele im Leben und haben bezüglich der Zielerreichung sehr unterschiedliche Risikotoleranzen.

Die Vorstellung also, dass ein Kunde mit einer Befragung auf ein Risikoprofil festgelegt werden könnte, ist vollkommen weltfremd und führt notgedrungen zu Anlagelösungen, die den Kunden nicht befriedigen. Stellen Sie sich einmal folgende Situation vor: Ein Kunde möchte Ersparnisse bilden, die es ihm erlauben, seinen Lebensstandard nicht abrupt ändern zu müssen, wenn sich seine Einkommensverhältnisse verschlechtern. Der Kunde hat Kinder, die in wenigen Jahren eine gute Ausbildung finanziert bekommen sollen. Und schliesslich soll Vermögen angelegt werden, das in 20 Jahren, wenn voraussichtlich die Pensionierung erfolgt, den Lebensunterhalb des Kunden und seines Partners sichern soll.

Das sind drei Anlageziele mit vermutlich sehr unterschiedlicher Risikotoleranz. Die Sicherung der unmittelbaren Lebensumstände muss wohl unbedingt gegeben sein. Das spricht für eine Anlage, die sehr sicher und hoch liquide ist, also jederzeit ohne die Gefahr eines Wertverlusts zumindest teilweise aufgelöst werden kann. Hier könnte ein Sparbuch die passende Alternative sein. Auch die Ausbildung der Kinder soll noch mit hoher Sicherheit möglich sein. Warum nicht in ein Portfolio von Obligationen anlegen, deren Rückzahlungen mit den gut prognostizierbaren Ausbildungsjahren der Kinder übereinstimmen? Und 20 Jahre bis zur Pension sind eine lange Zeit, da können deutlich grössere Risiken genommen werden. Warum nicht in ein Portfolio mit hoch riskanten Anlagen in Aktien und Immobilien investieren?

Ein guter Anlageberater hat Ihnen immer schon eine solche Mehrzahl von Lösungen empfohlen. Die gängigen Prozesse bei den grossen Vermögensverwaltern haben das aber in den letzten Jahren schwerer gemacht. Dabei entsteht ein Problem gerade bei den stark risikobehafteten Anlagezielen. Wer wirklich Jahrzehnte vorausplanen kann und will oder wer vielleicht sein Vermögen eh nur für die kommenden Generationen anlegen möchte, wäre gut beraten, mit höherem Risiko anzulegen. Wenn der Vermögensverwalter aber die Risikotoleranz über alle Ziele hinweg abfragt, dann ergibt sich schnell ein Resultat, das solche Anlagen für Sie zu riskant erscheinen lässt. Dabei liegt dieses Ergebnis Ihrer Risikoprofilierung ausschliesslich daran, dass eine mittlere Risikotoleranz über alle Ihre Anlageziele erhoben worden ist.

Für den Vermögensverwalter macht das die Sache aber einfacher. Statt drei unterschiedliche Portfolios zu bewirtschaften, kommt das ganze Geld in einen Topf. Für Sie entsteht aber dadurch die Situation, dass Sie Ihre Anlagen nicht optimal auf Ihre Anlagenziele ausrichten können. So wären sie vielleicht bereit, einen Teil Ihrer auf die Pensionierung ausgerichteten Anlagen in illiquide und riskante Anlagen zu investieren. Illiquidität wird aber von den meisten Vermögensverwaltern gemieden, da ja eines der Ziele, die miteinander vermischt worden sind, gerade die Sicherstellung von Liquidität im Ernstfall ist.

Gleichzeitig wird auch Ihre emotionale Situation durch das Vermengen von sehr unterschiedlichen Anlagen nicht leichter. Stellen Sie sich einmal die Auswirkungen eines starken Aktienmarktrückgangs auf Ihre Anlagen vor. Für den Fall, dass Sie entsprechend Ihren drei Zielen in drei verschiedene Anlagen investiert sind, ist ganz klar, dass die ersten beiden Ziele der Lebensunterhalts- und Ausbildungssicherung ungefährdet erreicht werden können. Bei diesen beiden Anlagen waren Sie gar nicht in Aktien investiert. Da die Pensionierung noch weit in der Zukunft liegt, wissen Sie, dass Sie mit Ihren Anlagen viel Zeit haben, die Verluste wieder wettzumachen. Sie bleiben angesichts der Tatsache, dass Rückschläge am Aktienmarkt immer wieder vorkommen, wohl weitestgehend gelassen.

Wenn Sie alle Eier in einen Korb gelegt haben und Sie auf Ihrem Depotauszug sehen, dass Ihr Vermögen deutlich geschrumpft ist, ist es viel schwieriger, gelassen zu bleiben. Die meisten von uns besitzen nicht die fachlichen Kenntnisse, um nun beurteilen zu können, wie es mit der Zielerreichung bei den ersten beiden Zielen steht.

Vor diesem Hintergrund ist es nicht verwunderlich, dass die Mehrzahl aller durch die Banken langfristig verwalteten Vermögen eher sehr vorsichtig in den Risikoprofilen Konservativ und Ausgewogen investiert ist. Unsere Anlagen sind bei dem Ansatz, mit nur einem Risikoprofil zu arbeiten, gleichzeitig zu liquide angelegt für unsere langfristigen Ziele und zu illiquide für unsere kurzfristige Zielerreichung.

Zum Glück beginnen die Vermögensverwalter zu spüren, dass sie hier mit der Anwendung der konventionellen Finanztheorie zu weit gegangen sind. Gerade die Erkenntnis der verhaltensorientierten Ökonomie, dass private Anleger bei ihrem Umgang mit Finanzrisiken eben nicht dem oben beschriebenen Finanzroboter entsprechen, hat hier viel geholfen. So führen innovative Banken Beratungskonzepte ein, in denen der Kunde wirklich zielorientiert anlegen kann. Das ist zumindest ein grosser Schritt in die richtige Richtung.

Auch Privatpersonen sollten sich Anlagerichtlinien geben

Einen noch grösseren Schritt können Sie selber in diese Richtung tun, wenn Sie sich die Mühe nehmen, einmal aufzuschreiben, was Sie mit Ihren Anlagen eigentlich bezwecken wollen. Bei unserer praktischen Arbeit in unserer zweiten Beratungsfirma stellen wir immer wieder fest, dass viele Menschen gar nicht genau wissen, was mit ihren Anlagen geschehen soll. Man geht zu einer Bank oder einem Vermögensverwalter mit einem bestimmten Betrag und lässt die Risikobefragung über sich ergehen, damit anschliessend der Berater einem sagen kann, was man tun soll. Wenn wir ganz ehrlich sind, sind wir in der Regel besser vorbereitet, wenn wir unsere Wochenendeinkäufe tätigen.

Dabei sollten wir selbst doch am besten wissen, welche Ziele wir haben, und eigentlich auch, welches Risiko wir eingehen wollen, um diese Ziele zu erreichen. Sie glauben nicht, wie sehr es die Zusammenarbeit mit einem Vermögensverwalter oder einer Bank vereinfacht, wenn Sie diese Gedanken vor Ihrem Besuch schriftlich festhalten. Schreiben Sie Ihre Ziele auf ein Blatt Papier, schreiben Sie daneben, wie viel Risiko sie eingehen wollen. Allein durch diese simple Übung steigt die Wahrscheinlichkeit, dass Sie wirklich Ihre Ziele erreichen, deutlich an. Dass liegt schon einfach daran, dass ein Anbieter viel besser seine beste Leistung erbringen kann, wenn er nicht raten muss, was er tun soll.

Schreiben Sie Ihre Anlageziele und -präferenzen auf

Ob Sie ein solches Dokument Anlagerichtlinien nennen oder nicht, spielt keine Rolle. Tatsache ist, dass alle professionellen Anleger sich solche Richtlinien geben. Dazu gehört neben Ziel- und Risikovorgaben auch die Bestimmung der Anlagekategorien, die für die Investition überhaupt infrage kommen. Dahinter steckt die Frage danach, ob Sie sich mit allen von einem Vermögensverwalter vorgeschlagenen Anlagen überhaupt wohlfühlen. Wollen Sie tatsächlich in Hedgefonds investieren oder in Rohstoffe? Müssen die Anlagen Nachhaltigkeitskriterien genügen? Sind Sie bereit, Nationalstaaten über den Obligationenmarkt Geld für Ihre Schuldenpolitik zu leihen, und wie steht es mit dem Fremdwährungsrisiko?

Ein weiterer wichtiger Aspekt, der einem hilft, langfristig besser seine Ziele zu erreichen, ist die Klärung der Frage, wie man über seine Anlagen entscheiden will. Legen Sie sich im Voraus Rechenschaft darüber ab, wie oft Sie Ihre Vermögensverwalter bewerten wollen und anhand welcher Kriterien Sie festmachen, ob die Leistung des Vermögensverwalters wirklich ausreichend gewesen ist. Dabei hat sich bei grossen, komplexeren Vermögen eine monatliche Frequenz der Überprüfung bewährt. Normale Vermögenssituationen verlangen mindestens eine quartalsweise Bewertung. Die Kriterien, zuhand deren Sie die Bewertung vornehmen, sollten vor allem das Leistungsversprechen des Verwalters oder der Bank reflektieren. Doch dazu später mehr.

Definieren Sie, wie Sie über Ihre Anlagen entscheiden wollen

Vielleicht ist es auch sinnvoll, andere Personen in den Entscheidungsprozess einzubinden? Wie steht es mit den Mitgliedern der Erbengeneration? Ab wann sollen diese in Ihre Finanzsituation Einblick erhalten und, wenn überhaupt, ab wann sollen sie ein Wörtchen mitreden können? Auch wenn Sie dies nicht wollen, hilft ein solches Dokument Ihren Erben später einmal zu verstehen, was Sie mit Ihren Anlagen warum gemacht haben. Sie können Ihren Erben in dieser emotional sehr belastenden Zeit dadurch helfen, dass zumindest in Finanzfragen keine Unklarheit besteht.

Manche Menschen ziehen auch externe Berater in den Entscheidungsprozess mit ein, ganz einfach, weil ihnen das erlaubt, fachliches Wissen in die Beurteilung ihrer Vermögenssituation einzubringen, über das man ja in der Regel selber nicht verfügt. Eine solche Unterstützung stärkt Sie übrigens in der Regel auch in der Verhandlungssituation mit Ihrer Bank oder Ihrem Vermögensverwalter. Viele Menschen fühlen sich diesen gegenüber fachlich weniger qualifiziert und im Gespräch nicht ebenbürtig. Das führt zu sehr unterschiedlichen Reaktionen. Manche Anleger sind überkritisch und zu zurückhaltend bei ihren Anlagen, weil sie fürchten, dass sie vom Vermögensverwalter über den Tisch gezogen werden. Andere lassen sich von der höheren Kompetenz blenden und dadurch tendenziell eher zu Dingen verleiten, die vielleicht gar nicht gut für sie sind. Die meisten zahlen auf jeden Fall am Ende einen höheren Preis, als für die Leistung angemessen wäre. Dazu später mehr, aber lassen Sie mich jetzt schon sagen: Eine gute Leistung verdient in meinen Augen einen guten Preis. Nur leider ist die Leistung eben oft nicht gut.

Tabelle 4-1 stellt für Sie zusammen, was die wichtigsten Elemente eines solchen Anlagereglements sein sollten. Versuchen Sie es doch einfach mal. Es ist wirklich nicht so schwierig.

Tabelle 4-1: Einfache Struktur für ein Anlagereglement

1.	Anlageziele: Welche Ziele sollen mit den Anlagen erreicht werden?

Beispiel:

- Finanzierung der Ausbildung der Kinder
- Mögliche Rückzahlung der Hypothek
- Langfristiger Kaufkrafterhalt des Vermögens

2. Portfolios: Welche Portfolios werden unterschieden?

Beispiel:

- Portfolio «Ausbildung» für Ausbildung der Kinder
- Portfolio «Amortisation» für eventuelle Rückzahlung der Hypothek
- Portfolio «Langfristige Anlagen» für die Zeit nach der Pensionierung

3. Anlageprinzipien:
Welche Grundprinzipien sind beim Anlegen von grösster Wichtigkeit?

Beispiel:

- Spekulative Anlagen sollen grundsätzlich vermieden werden

4. Anlageuniversum: In welche Anlageklassen soll investiert werden?

Beispiel:

- Das Vermögen soll ausschliesslich im Geldmarkt und in Schweizer Obligationen, Schweizer und US-Aktien investiert werden

5. Risikobudget pro Portfolio:
Welchem Risiko darf das jeweilige Portfolio ausgesetzt sein?

Beispiel:

- Das Portfolio soll nicht mehr als maximal 20 % an Wert verlieren können

6. Verantwortlichkeiten:
Welche Rollen werden in der Vermögensverwaltung unterschieden?

Beispiel:

- Vermögensverwaltung: Bank XYZ
- Leistungskontrolle des Vermögensverwalters: Berater AG
- Strategieüberprüfung und Entscheid über Auftragsvergabe: man selbst

7. Termine: Wann muss was unternommen werden?

Beispiel:

- Quartalsweise Leistungskontrolle des Vermögensverwalters
- Jährliche Beurteilung des Vermögensverwalters
- Jährliche Überprüfung der Anlageziele und der Strategie

Anlagestrategien, die nachvollziehbar sind und funktionieren

Wenn Sie nun also wissen, was Ihre Ziele sind und wie es um Ihre Risikotoleranz bezüglich der Zielerreichung steht, ist der Schritt zur Anlage Ihrer Ersparnisse gar nicht mehr so gross. Sie haben in meinem vorherigen Beispiel des Sparers mit drei Zielen gesehen, dass die unmittelbar vor Ihnen liegenden Ziele, die Sie mit grosser Sicherheit erreichen wollen, durch ganz einfache Anlageprodukte wie ein Sparbuch, eine Obligation oder aber auch in manchen Fällen schlichtweg durch eine vernünftige Liquiditätsgestaltung auf einem Privatkonto erreicht werden können. Ziele, die weiter in der Zukunft liegen und bei denen eine grössere Risikotoleranz für Sie möglich ist, sollten nach meiner Meinung durch eine Anlage im Kapitalmarkt zu erreichen versucht werden.

Dazu müssen wir uns Gedanken darüber machen, wie wir das bisher zusammengetragene Wissen einsetzen können, damit wir weder unnötige Risiken eingehen noch auf mögliche Erträge verzichten. Zentral wird bei diesen Überlegungen wiederum sein, dass wir vermeiden, uns auf Dinge zu verlassen, von denen wir eigentlich gar nicht wissen, ob sie funktionieren. Leider haben wir von solchen auf gewagten Annahmen basierenden Lösungsansätzen in diesem Kapitel bereits einiges gehört. Lassen Sie uns daher dort den Faden aufnehmen, wo wir festgestellt haben, dass wir es beim Anlageproblem eher mit einem Problem der Ungewissheit als mit einem Problem des Risikos zu tun haben.

Es ist eben leider nicht so, dass wir über die Zukunft so wahnsinnig viel wissen. Wenn wir die Zukunft kennen würden, wäre die Sache mit dem Anlegen natürlich ganz einfach: Wir würden all unser Geld in die Anlage investieren, die den höchsten Ertrag bringt. Da wir ein solches Wissen aber nicht haben, ist die erste Erkenntnis, dass wir, statt alles auf eine Karte zu setzen, mehrere Anlageformen berücksichtigen sollten. In unserer Fachsprache nennen wir dieses

Wer die Zukunft kennt, investiert all sein Geld in nur eine Anlage

Anlageprinzip Diversifikation. Dabei ist selbstverständlich, dass wir nur solche Dinge als Anlagen brauchen, die uns später nützlich sein werden. Sei es durch ihre physischen Eigenschaften: Auch eine selbstbewohnte Immobilie oder ein Lebensmittelvorrat kann eine solche Anlage sein. Sei es dadurch, dass die Anlage uns einen finanziellen Ertrag bringt.

Lassen Sie uns für einen Moment annehmen, dass wir über die Zukunft gar nichts wissen. Wie würden wir dann investieren? In einer solchen Situation würde ein vernünftiger Anleger zuerst versuchen zu identifizieren, welche unterschiedlichen Anlageformen es für ihn überhaupt gibt. So wird man, ohne die Zukunft allzu sehr prognostizieren zu müssen, annehmen können, dass ein Klumpen Gold etwas anderes ist und bleiben wird als ein Haus. Mit gleichem Recht dürfen wir wohl auch annehmen, dass eine Aktie etwas anderes bleiben wird als Bargeld oder eine Obligation.

Wenn wir nun kein weiteres Wissen über die Zukunft unterstellen als diese Konstanz der Unterscheidung der Anlageklassen, wird die Wahl, wie viel Geld wir in die einzelnen Anlageklassen investieren wollen, ganz einfach. Wir wissen ja nicht, ob Aktien langfristig einen höheren Ertrag erbringen als Obligationen, Gold oder Bargeld. Wir glauben auch noch nicht an einen irgendwie gearteten Zusammenhang zwischen Rendite und Risiko. Selbst wenn wir das tun würden, würden wir das zukünftige Risiko der Anlageklassen gar nicht kennen.

Die rationale Anlagestrategie eines vorsichtigen Investors, der davon ausgeht, dass er in vollkommener Ungewissheit agieren muss, ist ganz einfach zu bestimmen: Man investiert in jede Anlageklasse gleich viel, weil man eben nicht weiss, welche Anlageform besser abschneiden wird. Akzeptieren wir fünf Anlageklasse, dann ist das jeweils ein Fünftel des Vermögens. Akzeptieren wir zehn Anlageklassen, dann sind das jeweils 10 Prozent. Oder verallgemeinert ausgedrückt: Akzeptieren wir eine Anzahl von n Anlageklassen, dann ergeben sich Anlageanteile von $1/n$ pro Anlageklasse. Ich weiss, dass

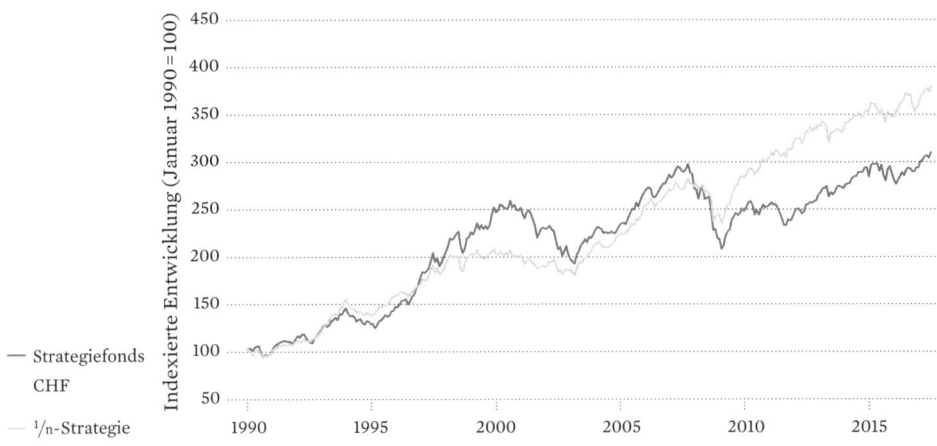

— Strategiefonds CHF

— ¹/ₙ-Strategie

Grafik 4-5: Naive Strategie im Vergleich mit Industriestandard

klingt ungeheuer simpel. Aber lassen Sie uns einmal schauen, wie sich eine solche, vollkommen frei von jeder Prognose und jedem statistischen Optimierungsmodell gemachte, «naive» Anlagestrategien in der Vergangenheit bewährt hätte. Um das zu illustrieren, haben wir einfach die Anlageklassen Schweizer Obligationen, Immobilien, Aktien und Geldmarkt zusammen mit Aktien und Obligationen aus dem Rest der Welt gleichgewichtet kombiniert. Die Auswahl der Anlageklassen für unser ⅙-Portfolio entspricht den auch von den Schweizer Vermögensverwaltern am stärksten eingesetzten Anlageklassen. Um den Vergleich fair zu gestalten, haben wir von unserem gleichgewichteten «naiven» Portfolio, das wir mit den gängigen Indizes messen, 1,5 Prozent pro Jahr für hypothetische Verwaltungskosten abgezogen. Grafik 4-5 vergleicht die Wertentwicklung eines solchen Portfolios mit dem, was die Finanzindustrie in der Vergangenheit für die Risikokategorie «Ausgewogen» abgeliefert hat. Sie sehen dort den Durchschnitt der jeweils wichtigsten Strategiefonds der Schweizer Banken für Investoren in Franken.

182

Das Ergebnis ist erschütternd. Die «naive» Anlagestrategie, die unter der Annahme weitestgehender Ungewissheit über die Zukunft abgeleitet worden ist, schlägt den Durchschnitt der Angebote der Finanzindustrie, gemessen anhand ihrer eigenen professionellen Kriterien. Wer die Grafik genau betrachtet, muss feststellen, dass die Rendite der «naiven» Strategie über dem Resultat der professionellen Fondsanbieter lag. Gleichzeitig war auch das gemessene Risiko deutlich niedriger. Damit hat unsere «naive» Strategie deutlich besser abgeschnitten als das, was die wichtigsten Vermögensverwalter des Landes mit ihrem gesammelten Wissen abliefern konnten. Über einen Zeitraum von 27 Jahren wurde eine um 60 Prozentpunkte höhere Rendite eingespielt, wobei der maximale Einbruch in der Finanzkrise «nur» 16 Prozent im Vergleich zu den 29 Prozent des Industriedurchschnitts betragen hätte. Das Risikomass der «Time under Water» lag mit 47 Monaten deutlich niedriger als die 88 Monate des Industriedurchschnitts. Gemessen an der Sharpe-Ratio war die Leistung der «naiven» Strategie gut zwei Drittel besser als die der Banken.

Wer die Zukunft nicht kennt, verteilt sein Geld gleichmässig über alle Anlageformen, die für ihn infrage kommen

Das stellt die Frage, wie denn die Rendite einer «naiven» Anlage bei vergleichbarem Risiko gewesen wäre. Rechnet man das Ergebnis hoch, ergibt sich, dass eine Anlage in einen durchschnittlichen Strategiefonds von 100 Franken im Jahr 1990 ein Resultat von 290 Franken erreicht hätte. Unser «naiver» Anleger hätte sein Vermögen dagegen auf 450 Franken gesteigert.

Naive Strategie schlägt locker die Finanzindustrie

Auch für mich war dieses Bild, als ich es das erste Mal zur Mitte des letzten Jahrzehnts wahrgenommen habe, sehr schwer zu akzeptieren. In meiner Rolle als Leiter des Anlageausschusses der privaten Vermögensverwaltung der UBS war mir bewusst, dass wir vorsichtig mit der Einschätzung unserer Prognosefähigkeit sein mussten, wenn es darum ging, in der Praxis Kundengelder anzulegen. Dass aber eine vollkommen prognosefreie Anlagestrategie zu systematisch besseren Ergebnissen führen kann als das durch Tausende von Wissenschaftlern und Zehntausende von professionellen

Mitarbeitern in der Vermögensverwaltungsbranche erarbeitete Wissen, war für mich zunächst unvorstellbar.

So haben wir versucht zu verstehen, ob das Ergebnis nicht vielleicht lediglich ein Zufallsprodukt ist. Natürlich gilt bei der vergangenheitsorientierten Bewertung auch für die naive Anlagestrategie, dass wir nur auf die Wertentwicklung der Anlagen in einer Ausprägung der Vergangenheit blicken. Auch könnte ein glücklicher Zufall bei der Auswahl der Anlageklassen das Ergebnis beeinflusst haben. Leider ist unser Befund, dass naive Anlagestrategien den Industriestandard schlagen, aber sehr robust. Egal, ob man sich ausgeklügelter Techniken zur Simulation von anderen möglichen Vergangenheiten bedient oder aber die Anzahl und Zusammensetzung der Anlageklassen variiert, in der weitaus überwiegenden Anzahl aller Berechnungen bleibt die «naive» Anlagestrategie den Ergebnissen der Anwendung der Mainstream-Finanzmarktökonomie überlegen.

Die Zahlen sprechen eine eindeutige Sprache. So haben wir die zehn grössten Anlagekategorien genommen und mit ihnen alle möglichen Kombinationen von Portfolios gebildet, die mehr als fünf Anlagekategorien beinhalten. Von den so zufällig gebildeten 259 Strategien weisen 73 Prozent eine bessere Sharpe-Ratio auf als der Durchschnitt der Strategiefonds. Obwohl ja so ein naives Vorgehen eigentlich dem professionellen Vorgehen klar unterlegen sein sollte, schneiden naive Portfolios in vielen Dimensionen besser ab. So haben 88 Prozent der betrachteten Strategien eine tiefere «Time under Water».

Die Konzepte für eine riskante Welt auf eine ungewisse Welt anzuwenden, ist fatal

Heute wissen wir, dass hinter diesem schlechten Abschneiden der gängigen Lösungen der Finanzindustrie ganz einfach die zu wenig reflektierte Anwendung der Modellwelt der frühen Finanzökonomie steckt. Die Gedankengänge der frühen Forschung, die uns Schritt für Schritt erlaubt hat, die Zusammenhänge auf den Finanzmärkten besser zu verstehen, sind einfach zu wenig geeignet, um in der Realität überzeugende Ergebnisse zu erzielen. Was heute eher noch als Gedankenexperiment zur Schulung des wissenschaftlichen

Nachwuchses an den Hochschulen gelehrt wird, hat sich in den vergangenen Jahrzehnten leider verselbstständigt und ist wie ein schlechtes Kochrezept reihenweise in Vermögensverwaltungen und Banken angewandt worden. Wir wissen letztlich aber zu wenig über die Zukunft, als dass wir mit der nötigen Verlässlichkeit zu jeder Zeit Aussagen über die zukünftige Verteilung der Erträge der verschiedenen Anlageklassen machen könnten.

Nun ist das Motto dieses Buchs, dass wir wenig wissen, dass das Wenige aber sehr mächtig ist. Tatsächlich kann man Anlagestrategien entwickeln, die sowohl die Erkenntnis nutzen, die wir aus unserem Gedankenexperiment mit der «naiven» Strategie gewonnen haben, als auch das wenige Wissen berücksichtigen, das wir über Wirtschaft und Finanzmärkte haben.

Es wird Sie nicht überraschen, dass es tatsächlich möglich ist, bessere Ergebnisse zu erzielen als die «naive» Strategie. Dazu braucht es allerdings wiederum viel Disziplin und Bescheidenheit bezüglich der eigenen Prognosefähigkeit. Auch wenn hier nicht der Raum ist, zu beschreiben, wie wir bei der Ableitung der Strategien technisch vorgehen, möchte ich Ihnen doch zwei Beispiele geben, bei denen die Anwendung unseres wenigen in den vorherigen Kapiteln beschriebenen Wissens auf Dauer Mehrertrag bei der Anlage verspricht.

Zum einen ist da unser Wissen über den Konjunkturzyklus. Wie wir im ersten Kapitel gesehen haben, sind Konjunkturzyklen nicht symmetrisch, sondern von langen Aufschwungs und kurzen Abschwungsphasen charakterisiert. Die Fähigkeit, eine Wachstumsprognose für das nächste Jahr zu machen, besitzen wir leider nicht. Unsere ganz kurzfristige Möglichkeit, die Entwicklung der kommenden ein bis zwei Quartale zu antizipieren, ist aber recht ausgeprägt. Wenn man dieses Wissen mit unserer Erkenntnis aus dem dritten Kapitel kombiniert, dass eine Reihe von risikobehafteten Anlagemärkten stark vom Konjunkturzyklus abhängen und dass steigende Kurse ganz einfach niedrigere zukünftige Renditen zur Folge haben, kommt man in der Tat einen grossen Schritt vorwärts.

> Wer die grundsätzliche Ungewissheit der Zukunft akzeptiert und mit unserem wenigen Wissen kombiniert, hat eine Chance auf mehr Ertrag

> Beispiel 1: Antizyklische Risiken im Portfolio

So würden wir eine Anlagestrategie empfehlen, die das Gewicht der risikobehafteten Anlagen in der Rezession und in den ersten Jahren danach vergrössert. In der Phase, in der das Volkseinkommen die im Abschwung entstandene Produktionslücke schliesst, ist die Wahrscheinlichkeit einer neuerlichen Rezession vergleichsweise gering. Damit lohnt es sich in der Regel, in riskanten Anlagen investiert zu sein, bis die kurzfristigen Konjunkturindikatoren die Wahrscheinlichkeit einer neuerlichen Rezession wieder grösser erscheinen lassen.

Die Folge eines solchen Vorgehens ist, dass die anvisierte gemessene Zielvolatilität des Portfolios vollkommen entgegen der Empfehlung der traditionellen Finanzökonomie nicht konstant gelassen wird, sondern über den Zyklus schwankt. Das bedeutet allerdings, dass man am Ende des Zyklus den Sirenenrufen der TINA-Berater nicht folgen darf. Das Risikoverhalten wird antizyklisch, und das bedarf grosser Disziplin. Wer kauft schon gerne Aktien, wenn ringsherum die prozyklische Prognoseindustrie von Weltuntergang redet? Und wer verkauft schon gerne Aktien, wenn es überall heisst, dass es keine Alternative zur Aktie gebe?

Beispiel 2: Aktive Steuerung der Fremdwährungsrisiken mithilfe der Kaufkraftparität Ein anderes Beispiel ist der Umgang mit Wechselkursen. In Kapitel 3 haben wir gesehen, dass die meiste Zeit eine Prognose von Wechselkursen nicht möglich, ja sogar unseriös ist. Erst wenn die Fehlbewertungen einmal gross geworden sind, lassen sich vorsichtige Zukunftsaussagen machen. Leider erlauben uns diese immer noch nicht, Punktprognosen darüber abzugeben, wo ein Wechselkurs zu einem bestimmten Zeitpunkt sein wird. Immerhin wissen wir aber, dass sich die Verteilung der zukünftigen Wechselkursveränderungen nun nicht mehr symmetrisch gestaltet, sondern sehr asymmetrisch wird. Oder anders ausgedrückt, die Wahrscheinlichkeit, dass wir uns noch weiter vom handelsneutralen Wechselkurs fortbewegen, ist viel kleiner als die Wahrscheinlichkeit einer Rückkehr zu normaleren Bewertungsverhältnissen.

Eine einfache Anwendung dieses Wissens, ist die systematische Absicherung von Fremdwährungsanlagen, wenn die betreffende Währung deutlich überbewertet ist. Auch das klingt nicht wahnsinnig innovativ, aber auch hier braucht es Disziplin. Denken Sie an mein Beispiel von der Schweizer Finanzcheftagung. Die Tatsache, dass eine krasse Fehlbewertung an einem Markt überhaupt vorliegen kann, reflektiert eben einen starken Konsensus der Marktteilnehmer über die weitere Entwicklung. Sich in dieser Situation auf langweilige, nüchterne Analysen zu stützen und das Gegenteil von dem zu tun, was der Schwarm der Anlagestrategen vorschlägt, ist nicht jedermanns Sache.

So war denn wohl das beste Beispiel für die von der Finanzindustrie bei diesem Thema verpassten Chancen die Wechselkursentwicklung zwischen Euro und Franken nach der Aufhebung der Untergrenze im Jahr 2015. Mit einem Wechselkurs nahe dem Wert von 1 Franken pro Euro war das Chance-Risiko-Verhältnis in diesem Wechselkurs sehr asymmetrisch geworden. Natürlich darf man niemals «nie» sagen, aber eine dauerhafte noch grössere Ausweitung der Überbewertung des Frankens war aus Sicht einer nüchternen Kaufkraftparitätenanalyse nicht einmal ein Zehntel so wahrscheinlich wie eine Rückkehr des Wechselkurses zu einem wieder handelsneutralen Wert von über 1.20.

Trotzdem war sich die Mehrzahl der Beobachter einig, dass der Franken dauerhaft stark überbewertet bleiben würde. Unsere Empfehlung war damals, bei den Anlagen schlicht und einfach Euro zu kaufen oder andere europäische Anlagen in einem grösseren Umfang zu halten als strategisch vorgesehen. In den folgenden zweieinhalb Jahren hat sich der Euro dann erwartungsgemäss um 16 Prozent aufgewertet. Das Ganze bei einer niedrigen Volatilität von 6 Prozent. Zum Vergleich: Der Schweizer Aktienindex SMI hat über den gleichen Zeitraum auch nur 16 Prozent zugelegt. Dies allerdings bei einer Volatilität von 16 Prozent.

Dabei hat der SMI aber eine Bewertung der Aktien erreicht, die historisch aussergewöhnlich hoch erscheint. Mit anderen Worten: Der Anstieg der Aktien ist fundamental viel weniger nachvollziehbar als die partielle Rückkehr des Wechselkurses zu seiner Kaufkraftparität. Immerhin hat eine Anlage in Aktien dem Schweizer Anleger noch eine Dividendenrendite gebracht. Warum dann aber nicht gleich in Aktien im Euroraum anlegen? Eine solche Anlage hätte eine um 15 Prozent höhere Gesamtrendite als die Anlage im Schweizer Aktienmarkt gehabt. Dies allerdings auch bei einer höheren Volatilität von 24 Prozent. Gemessen an der Sharpe-Ratio hätte man auf jeden Fall mit Abstand die meiste Rendite pro Volatilität bei der simplen Geldmarktanlage im Euro bekommen. Die zweithöchste Sharpe-Ratio weist die Anlage in europäischen Aktien und die tiefste die Anlage in Schweizer Aktien auf.

Ich bin mir sicher, dass gerade dieses Beispiel viele Anleger provoziert und nicht ohne Widerspruch bleiben wird. Mir ist aus den letzten Jahren meiner beruflichen Tätigkeit in der Bank nur zu schmerzhaft bewusst, wie sehr wir uns Mühe geben, die einfachen Dinge, die wir eigentlich wissen, in manchen Situationen nicht wahrhaben zu wollen. Diesbezüglich bin ich Widerspruch gewohnt.

Wählen Sie eine nachvollziehbare Strategie

Natürlich sind die gelieferten Beispiele und der Ratschlag, eine möglichst gleichgewichtete Anlagestrategie zu wählen, keine Garantie, dass Sie mit Ihren Anlagen immer positive Erträge erzielen werden. Ein unerwarteter grosser Zinsanstieg würde sicherlich die Bewertungen einer Vielzahl von Anlagekategorien negativ beeinflussen. Wovor Sie aber eine solche «naive» Anlagestrategie bewahren kann, sind grosse Klumpenrisiken in einzelnen Anlageklassen. Gerade das Tiefzinsumfeld der vergangenen Jahre hat darüber hinaus dazu geführt, dass viele Anbieter von Anlagelösungen andere und grössere Risiken eingegangen sind als in der Vergangenheit. Dabei sollten die Risiken in den Portfolios, wie wir gesehen haben, angesichts der ungewöhnlichen Länge des Konjunkturzyklus allmählich wohl eher zurückgefahren werden.

Gleichzeitig dürfen Sie nicht erwarten, dass eine solche Anlagestrategie in jedem Jahr besser sein wird als die der Konkurrenz. Dafür ist die Marktentwicklung zum einen von zu vielen zufälligen Ereignissen geprägt. Zum anderen können lange anhaltende Trends in den durch die Industrie permanent zu stark gewichteten Anlagekategorien zu einem temporär schlechteren Abschneiden führen. Wenn Sie noch einmal Grafik 4-5 anschauen, stellen Sie zum Beispiel fest, dass die Aktienblase Ende der 1990er-Jahre die einzige Phase war, in der der Industriestandard besser abschnitt als das $1/n$-Portfolio. Erwartungsgemäss korrigieren sich aber solche Situationen wieder.

Was eine gleichgewichtete Strategie dagegen auch bewirkt, ist, dass Sie praktisch nie eine Anlageform vollkommen vernachlässigen. Dafür braucht es aber ein grosses Mass an Bescheidenheit, um zu akzeptieren, dass auch wenn man eigentlich mit einem Rückgang der Kurse rechnet, es immer auch eine, wenn auch manchmal sehr kleine Wahrscheinlichkeit gibt, dass dies nicht oder viel später passiert, als man denkt. Das bedingt, dass man vermeidet, die ausgewählten Anlageklassen vollkommen zu verkaufen. Bei allem Mut, mit dem ich Ihnen versucht habe zu erklären, dass es Dinge gibt, die wir als Wissen bezeichnen können, ist dieses Wissen mit Bezug auf die Finanzmärkte niemals perfekt.

Zu dem Vorteil, dass eine stark gleichgewichtete Verteilung auf die verschiedenen Anlageklassen auf eine natürliche Art und Weise zu einer hohen Diversifikation führt, kommt noch ein letzter Punkt. Eine solche Vermögensallokation ist für Sie intuitiv gut verständlich und einfach zu implementieren. Wenn Sie dennoch meinen, Unterstützung zu brauchen, lassen Sie sich von unabhängiger Seite beraten. Vermeiden Sie dabei aber, in die Fänge der Finanzmarktorthodoxie zu geraten. Im Ernstfall gilt immer der Rat: Tun Sie nichts, was Sie nicht verstehen.

Anlegen mithilfe der Finanzindustrie

Nach den bisherigen Ausführungen wird Ihr Misstrauen gegenüber der Finanzindustrie vermutlich nicht kleiner geworden sein. Dabei kann ich Sie beruhigen, es gibt gute Finanzanbieter, die unaufgeregt und ohne falsche Versprechungen zu fairen Konditionen Ihnen helfen können, Ihre Anlagen zu tätigen. Diese sind allerdings nicht ganz einfach zu identifizieren. Dennoch meine ich, dass es sich lohnt, diesen Aufwand zu betreiben. Was es dabei zu beachten gibt und wie die Vermögensverwaltungsindustrie der Schweiz in den letzten Jahren abgeschnitten hat, wollen wir nun untersuchen.

Selber Anlegen ist zeitaufwendig, wenn man es gut machen will

Es lohnt sich, sich diesem Thema zu widmen, weil das Selbermachen zwar gar nicht so schwierig ist, aber doch einen rechten Aufwand verlangt. Für mich ist das ein wenig so wie beim Heimwerken. Es gibt Menschen, die können das sehr gut. Diejenigen, die es aber so gut können wie ein guter Handwerker, sind eher selten. Und wenn man genau hinschaut, haben diese guten Heimwerker über die Jahre viel Zeit in ihr «Hobby» gesteckt.

Während ich selber gerne handwerklich tätig bin und den Spass bei meinen Hobbys, zum Beispiel beim Bau von Schiffsmodellen, sehr schätze, denke ich doch, dass die Vermögensanlage für die meisten von uns eigentlich zu wichtig ist, um Experimente zu machen. Wenn mir ein Modellschiff nicht gelingt, fange ich einfach das nächste an. In einer Welt des Zinseszinses hat ein solcher Neuanfang aber viel zu grosse Kosten.

Kommt hinzu, dass es eine Reihe von Anlageformen gibt, die für uns Privatinvestoren kaum oder gar nicht zugänglich sind. Wer zum Beispiel als Einzelperson sinnvoll in nicht an der Börse gehandelte Unternehmen, sogenannten Private-Equity-Anlagen, investieren möchte, muss schon über ein erhebliches Vermögen verfügen, damit die nötige Diversifikation auch innerhalb der Anlagekategorie erreicht wird. Auch werden wir immer wieder darauf stossen, dass viele der Dinge, die wir an den Finanzmärkten tun wollen, ganz einfach für den Einzelnen sehr teuer sein können.

Schliesslich möchte ich anfügen, dass ich denke, dass es viele schönere und interessantere Dinge im Leben gibt als die Welt der Finanzmärkte. Das mag für Sie aus meinem Munde seltsam klingen, aber ich kenne nur ganz wenige Menschen, die sich mit grosser Freude und grossem Interesse den grundsätzlichen Fragen des Anlegens zuwenden, um die man sich als aktiver Anleger kümmern sollte.

Ich denke, dass es für die überwiegende Mehrzahl von uns sinnvoll ist, das eigentliche Investieren an einen professionellen Vermögensverwalter oder eine Bank zu delegieren. Das enthebt uns nicht der fundamentalen Aufgabe, die Ziele für den Verwalter zu setzen und dessen Leistungserbringung regelmässig zu kontrollieren. Aber das hatten Sie ja bereits in Ihren Anlagerichtlinien so festgehalten.

Damit stellt sich als letzte Frage beim Thema Anlegen, wie man eigentlich die Leistung seines Vermögensverwalters beurteilen und überwachen kann. Die Antwort auf diese Frage ist wenig überraschend wiederum sehr einfach: Einen Vermögensverwalter muss man daran beurteilen, ob er die ihm gestellten Ziele auch erreicht hat.

Vermögensverwalter müssen sich an ihrer Anlagestrategie messen lassen

Jeder Situation, in der eine Bank oder eine Anlagegesellschaft einen Vermögensverwaltungsauftrag akzeptiert, liegt ein Vertrag zugrunde. In diesem Vertrag ist das jeweilige Ziel und sind etwaige Restriktionen bei der Anlagetätigkeit festgehalten. So ist es zum Bcispiel gang und gäbe, dass man zu grosse Einzelpositionen in einzelnen Anlagen vertraglich ausschliesst, um Klumpenrisiken zu vermeiden. Gleiches gilt im Normalfall auch für die Frage, wie stark maximal in Fremdwährungen angelegt werden soll.

In der Praxis wichtiger als diese notwendigen Positionslimiten ist aber die Definition der Anlagestrategie. Diese ist praktisch immer Bestandteil Ihres Vermögensverwaltungsauftrags oder des Ausgabeprospekts des Fonds, den Sie besitzen. Die meisten Kunden sind sich dessen aber gar nicht so bewusst, weil diese Verträge für die Anlage-

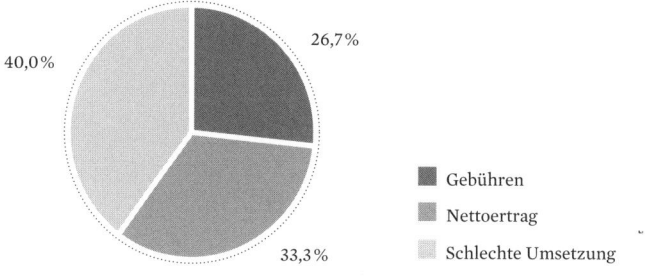

40,0 %

26,7 %

33,3 %

- ■ Gebühren
- ■ Nettoertrag
- ▨ Schlechte Umsetzung

Grafik 4-6: Aufteilung der Rendite der Benchmark im Portfolio-Management

typen standardisiert sind, die etwas weiter oben im Kapitel beschrieben worden sind. In diesem Sinne haben sich die Banken und Vermögensverwalter über die Klassifizierung der Kunden das eigene Anlageziel gesetzt, woran wir diese in einem ersten Schritt messen wollen.

Zu diesem Zweck haben wir in unserer zweiten Beratungsfirma untersucht, wie denn die verschiedenen Anbieter für Vermögensverwaltungsdienstleistungen in der Schweiz relativ zu ihrer selbstgewählten Zielvorgabe abgeschnitten haben. Dabei wurden über 500 Anlagelösungen der verschiedenen Risikoklassen bei 89 Anbietern untersucht. Insgesamt wurde damit der grösste Teil des Markts abgedeckt.

Grafik 4-6 fasst die Ergebnisse dieser Untersuchung für den Zeitraum seit der Finanzkrise, also vom Jahresanfang 2009 bis 2016, zusammen. Zur Erinnerung: Der Schweizer Aktienmarkt erreichte seinen Tiefststand Anfang März 2009 bei einem Indexstand des SMI von knapp über 4200 Punkten und auch Schweizer Obligationenanlagen erwirtschafteten einen achtbaren Erfolg von seitdem gut 3 Prozent pro Jahr. Die betrachtete Zeit war also eine gute Zeit für Anleger.

Das wohl erstaunlichste Ergebnis der Untersuchung war, dass, rechnet man die den jeweiligen Portfolios zugrunde gelegten Anla-

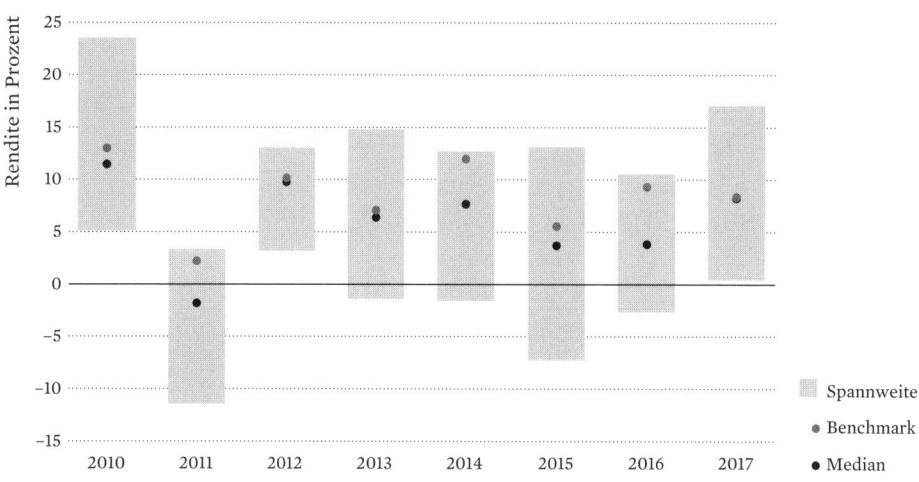

Grafik 4-7: Aufteilung der Rendite der Benchmark im Portfolio-Management

geziele aus, der Kunde am Ende nur ein Drittel der in Aussicht gestellten Rendite erreicht hat. Gut ein Viertel des Gesamtertrags ging
dabei über Gebühren an die Banken und Vermögensverwalter. In
etwa 40 Prozent der Rendite des Anlageziels wurden verschenkt,
weil die jeweilige Anlagestrategie schlecht umgesetzt wurde. Hinter
diesen ausgebliebenen Gewinnen verstecken sich die Ergebnisse falscher taktischer Entscheidungen bei dem Versuch, den Markt zu
schlagen, aber auch die Folgen einer nicht erfolgreichen Auswahl
von Aktien und Obligationen.

Dieser Leistungsausweis ist wiederum sehr unvorteilhaft für
die Finanzindustrie. Die Tatsache allerdings, dass es sich um einen
Durchschnitt handelt, verschleiert, dass es neben einer grossen
Anzahl mediokrer und schlechter Anbieter auch eine nicht unerheb-
liche Anzahl sehr guter Anbieter gibt. Die Unterschiede zwischen
einer erfolgreichen und einer nicht erfolgreichen Vermögensverwaltung sind dabei leider sehr gross.

Ein Blick auf die Grafik 4-7 soll dies anhand der Darstellung der Streuung der Ergebnisse für das ausgewogene Risikoprofil für frankenorientierte Anleger darstellen. Dabei betrachten wir die Resultate der Banken und Vermögensverwalter diesmal nach Abzug der Kosten, um einen tatsächlichen Leistungsvergleich über die Investmentleistung zu ermöglichen. Pro Jahr sehen Sie einen Balken, der von der Rendite des schlechtesten Anbieters bis zur Rendite des besten Anbieters reicht. Gleichzeitig sind die durchschnittliche Benchmarkrendite und das Resultat des mittleren Anbieters (Median) abgetragen.

Der Unterschied zwischen guten und schlechten Vermögensverwaltern ist gewaltig

Zunächst einmal stellen wir fest, dass die Spanne zwischen den jeweils besten und schlechtesten Anbietern gewaltig ist. Die Differenz zwischen dem besten und schlechtesten Anbieter schwankt von Jahr zu Jahr stark und liegt zwischen 20 und 10 Prozent Rendite pro Jahr. Gleichzeitig sehen wir, dass in keinem einzigen Jahr der mittlere Anbieter seine kostenbereinigte Zielrendite erreichen konnte. Mit anderen Worten, regelmässig schaffen mehr als 50 Prozent der Vermögensverwalter es nicht, ihr Leistungsversprechen gegenüber ihren Kunden zu halten. Das erscheint mir ein trauriges Ergebnis für eine so stolze Branche der Schweizer Wirtschaft zu sein.

Angesichts dieser Zahlen muss man sich fragen, wie so etwas eigentlich möglich sein kann. Ich kann mir das nur so erklären, dass in dem Markt für private Vermögensverwaltung kaum Transparenz herrscht. Natürlich können auch Privatkunden mit viel Mühe die Daten der Renditeentwicklung von Strategiefonds der Anbieter erheben. Diese sind aber noch nicht wirklich mit der Entwicklung der Renditen auf Vermögensverwaltungsmandaten gleichzusetzen. Ohne Transparenz können aber auch schlechte Anbieter behaupten, dass sie viel besser sind als die Konkurrenz.

Bei Fondsanbietern ist es darüber hinaus durchaus üblich, dass Fondsprodukte, die nicht gut laufen, regelmässig wieder von der Bildfläche verschwinden. Auch und gerade in der Selbstdarstellung der Anbieter gibt es einen teilweise sehr bewusst herbeigeführten, grossen Survivorship Bias. Haben Sie sich schon einmal gefragt, warum die grossen Anbieter Hunderte von verschiedenen Anlagefonds auflegen? Das passiert ganz einfach, damit sie immer eine genügend grosse Zahl von Fonds mit guter Rendite ausweisen können. Über die weniger guten Produkte redet man weniger und löst sie dann irgendwann auf.

Die dargestellten Zahlen lassen einen interessanten Schluss zu. Nach meiner festen Überzeugung ist es wichtiger, auf die Qualität eines Anbieters oder eines Produkts zu achten als auf die Kosten. Wir haben zwar gesehen, dass die Kosten in den letzten Jahren im Schnitt einen Viertel der Rendite verschlungen haben. Die Vorstellung, dass man eine gute Dienstleistung gratis erwarten dürfte, ist aber natürlich unsinnig. Wie weit können wir aber die Kosten bei einem guten Anbieter reduzieren?

Die Qualität eines Anbieters ist wichtiger als dessen Kosten

Keine Frage, eine stringente Kostenkontrolle ist auch bei Vermögensverwaltern wichtig. Auch sind die Margen der Anbieter in manchen Kundengruppen angesichts der mediokren Leistung der meisten Anbieter immer noch zu hoch. 0,25, 0,5, in manchen Fällen über 1 Prozentpunkt Kostenreduktion machen sich langfristig durchaus sehr bezahlt. Aber wenn der Unterschied zwischen guten und schlechten Vermögensverwaltern mehrere Prozentpunkte ausmacht, wird deutlich, dass es zunächst einmal um die Qualität der Leistung und dann um den Preis gehen muss.

Tatsächlich stellen wir fest, dass gute Vermögensverwalter nicht einmal unbedingt teuer sein müssen. In einer anderen Untersuchung haben meine Kollegen herausgearbeitet, dass es praktisch keinen Zusammenhang zwischen Qualität und Preis in der privaten Vermögensverwaltung gibt.

Grafik 4-8 stellt diesen fehlenden Zusammenhang dar. Dabei wurden in die Qualitätsbeurteilung nicht nur die tatsächliche Wertentwicklung der Anlagen einbezogen, sondern auch eine Reihe qualitativer Merkmale des jeweiligen Anbieters berücksichtigt. Dabei wurden auch die Arbeitsweise, die personelle Stabilität und die

Gute Vermögensverwalter sind nicht unbedingt teurer

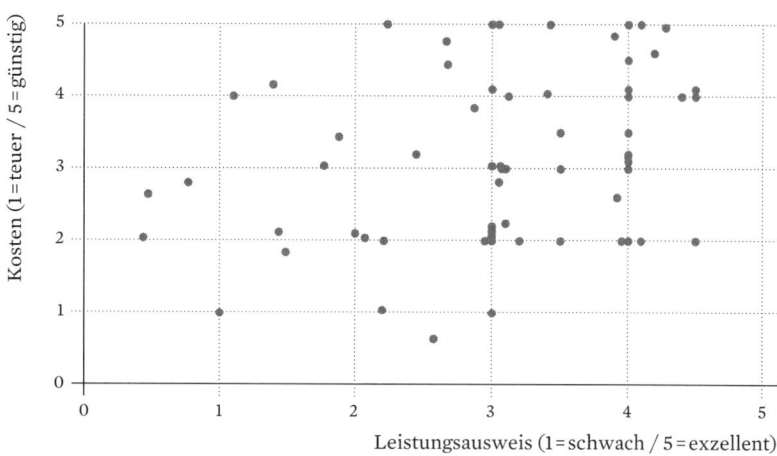

Grafik 4-8: Kosten und Qualität in der privaten Vermögensverwaltung

Professionalität im Umgang mit den Kunden berücksichtigt. Wenn es überhaupt einen quantitativ feststellbaren Zusammenhang gab, dann könnte man sagen, dass es keine wirklich guten Vermögensverwalter gab, die überteuert waren.

Auch diese Beobachtung ist für die Branche der Vermögensverwalter nicht wirklich schmeichelhaft. Eigentlich müsste man doch erwarten können, dass eine gute Qualität auch einen guten Preis nach sich zieht. Gerade bei den grossen Qualitätsunterschieden sollte der Kunde doch bereit sein, eine relativ hohe Prämie für eine gute Leistung zu zahlen. Solange die Branche es aber nicht schafft, die eigene Qualität in der Öffentlichkeit transparent darzustellen, dürfen sich die Anbieter nicht wundern, dass der Kunde nicht unterscheiden kann, ob die Leistung, für die er zahlt, wirklich gut ist. Diese mangelnde Urteilsfähigkeit und Wissensasymmetrie begründet dann rational eine mangelnde Zahlungsbereitschaft bei den Kunden.

Bleibt die Frage, wie man denn einen guten von einem weniger guten Vermögensverwalter unterscheiden kann, wenn doch der

Markt so intransparent ist? Ich fürchte, darauf gibt es keine ganz einfache Antwort. Das liegt zum einen daran, dass die Vergleichsdaten der verschiedenen Anbieter nicht öffentlich verfügbar sind. Zum anderen muss man berücksichtigen, dass es Zeit braucht, bis man sich über die Leistung seines Vermögensverwalters ein sicheres Urteil bilden kann.

Der Grund dafür sind die vielen unvorhersehbaren Ereignisse, die die Finanzmärkte beeinflussen und zufällig zu einem guten oder schlechten Renditeausweis führen können. Am einfachsten wäre es natürlich für den Vermögensverwalter, einfach die gewählte Strategie stur umzusetzen. Nimmt man die verschiedenen die Anlagenklassen repräsentierenden Indizes gewichtet mit den jeweiligen Strategieanteilen und abzüglich der vereinbarten Gebühr, kann man zumindest eine Benchmark für die Bewertung der Anlageleistung des Verwalters errechnen. Professionelle Anbieter messen sich selbst an dieser Grösse.

Jede Abweichung von dieser Benchmark reflektiert einen aktiven Entscheid des Vermögensverwalters und sollte daher bewertet werden. Übertrifft der Verwalter die Rendite der Benchmark, werden Sie in der Regel froh sein. Allerdings sollten Sie sich das Portfolio genau anschauen, ob er zu diesem Zweck keine übertriebenen Risiken eingegangen ist. Auch hier ist also eine Risikobereinigung angebracht. Dies kann man tun, indem man, wie wir es oben schon gesehen haben, die Sharpe-Ratio von Portfolio und Strategie miteinander vergleicht.

Die Leistung des Verwalters können Sie anhand eines Sharpe-Ratio-Vergleichs oder…

Ein anderer in der professionellen Überwachung von Portfolios verwendeter Weg ist, nur die Abweichungen in der Rendite von Portfolio zu Benchmark zu untersuchen. Der Mehr- oder Minderertrag wird dann ins Verhältnis gesetzt zu seiner eigenen Volatilität. Diese Massgrösse bezeichnet man in der Praxis mit dem englischen Ausdruck der «Information Ratio». Je höher dieser Wert ist, desto besser sind die aktiven Entscheidungen des Verwalters.

… anhand der Information-Ratio vornehmen

Intuitiv ist wahrscheinlich verständlich, dass man die Fähigkeiten eines Verwalters besser bewerten kann, je mehr aktive Entscheidungen er fällt. Wer drei Entscheidungen fällt und zweimal durch unkontrollierbare Einflüsse keinen Erfolg hat, hat es schwer, sein Können belegen zu können. Wer dagegen bei zehn Entscheidungen zweimal Pech hat, kann wohl mit mehr Gewissheit von eigener Leistung reden. Dabei kann es natürlich sehr klug und vernünftig sein, beim Anlegen nicht in Aktivismus zu verfallen. Nur, für die Beurteilung braucht es bei wenigen Entscheidungen länger, bis man sagen kann, ob ein Vermögensverwalter gut arbeitet oder nicht.

Damit wird deutlich, dass ein hochaktiver Verwalter früher bewertet werden kann als einer, der nur wenige Transaktionen macht. Da man das aber in der Regel als Aussenstehender nicht sehen kann, würde ich sagen, dass gilt, dass man einen normalen Portfoliomanager erst nach drei Jahren wirklich zu beurteilen beginnen kann.

Als Faustregel lässt sich bei der Auswahl der guten Vermögensverwalter gemäss unserer Erfahrung sagen: Wenn ein Vermögensverwalter sein Anlagekonzept einfach erklären kann und Ihnen gegenüber bescheiden darlegt, was sein Leistungsversprechen beinhaltet, ist das ein gutes Indiz. Wird aber mit der Anzahl der in den Anlageprozess eingebundenen Spezialisten geprahlt und die Überwachung aller Märkte versprochen, sollten bei Ihnen die Alarmglocken läuten.

Wie wir anhand der «naiven» Strategie gesehen haben, kann es aber immer auch eine Reihe von Jahren geben, in denen selbst eine gute Strategie nicht wirklich befriedigende Resultate abliefert. Grafik 4-9 veranschaulicht dieses Problem noch einmal durch einen Vergleich des Industriestandards mit unserer in Grafik 4-5 wiedergegebenen $1/n$-Strategie. Damit wir Äpfel mit Äpfeln vergleichen, haben wir die auf das gleiche Risikoniveau hochskalierte Variante gewählt. In der Grafik sehen Sie allerdings nicht eine Linie über den gesamten Zeitraum, sondern den pro Jahr erzielten kumulierten Mehrertrag in Blau und den etwaigen Minderertrag in Rot. Jede der

198

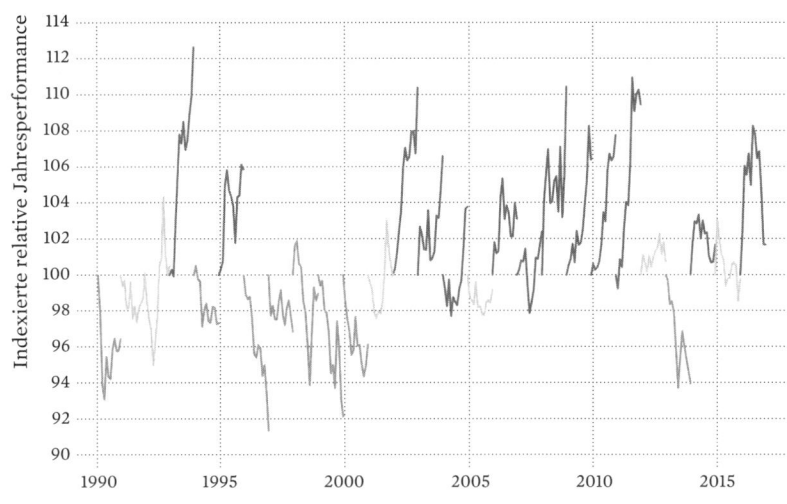

Grafik 4-9: Jährliche Über-/Unterrendite der $1/n$-Strategie
im Vergleich zur Industrie

kleinen Linien repräsentiert also die Renditedifferenz zwischen den
beiden verglichenen Anlageformen für ein Kalenderjahr.

Sie sehen deutlich, wo das Problem in der Leistungsbeurteilung
liegt. Die an sich klar überlegene Anlagestrategie hat in den Jahren
1996 bis 2000 einen signifikanten Minderertrag gegenüber dem hier
als Benchmark figurierenden Industriestandard an den Tag gelegt.
Der Hintergrund war natürlich die sich bildende Blase am weltweiten Aktienmarkt, die dann im Frühjahr 2000 geplatzt ist. Wenn
Sie nun die Leistungsbeurteilung im Frühjahr 2000 anhand dieser
Zahlen vorgenommen hätten, hätten Sie auf eine Reihe von Minder-
renditen für vier Jahre in Folge geschaut.

Dieses Beispiel soll verdeutlichen, dass eine blosse quantitative
Betrachtung des Leistungsausweises eines Vermögensverwalters
problematisch ist. Hätten Sie Anfang 2000 Ihren Vermögensverwaltungsauftrag beendet, hätten Sie auf viele Jahre in Folge mit Mehr-

erträgen verzichtet. Seit Anfang 2000 beträgt der Wertzuwachs auf unserer «naiven» Strategie 120 Prozent. Der Durchschnitt der Strategiefonds brachte es gerade einmal auf 20 Prozent.

Leistungs-
beurteilung
sollte nie rein
quantitativ sein

Die Leistungsbeurteilung von Vermögensverwaltern muss also auch immer qualitativ erfolgen. Solange die Erklärung stimmig und im Einklang mit der Strategie erfolgen kann und solange nicht blosse Implementierungsfehler Ursache für eine Minderrendite sind, kann es sinnvoll sein, an einem Vermögensverwalter festzuhalten.

Wenn Sie sich jetzt fragen, woher Sie all die Angaben über Benchmarkentwicklung und Leistung Ihres Vermögensverwalters bekommen sollen, dann ist die Antwort wiederum einfach. Diese Angaben dürfen Sie von Ihrer Bank oder Ihrem Vermögensverwalter verlangen. Wenn Ihr Vermögensverwalter vorgibt, das nicht zu können, ist er entweder unprofessionell oder aber er versucht, etwas vor Ihnen zu verbergen. Dann ist es allerdings höchste Zeit, den Vermögensverwalter oder die Bank zu wechseln.

Finanzbranche vor grossem Umbruch

Wir haben in diesem Kapitel einige grundsätzliche Gedankengänge zum Thema Anlegen betrachtet. In Zeiten tiefer Zinsen und unsicher gewordener Pensionssysteme ist Sparen und Anlegen für viele von uns eine Aktivität von zentraler Bedeutung. Auch wenn wir vermögender sind und im Wesentlichen nur einen Erhalt unserer Vermögen für die kommende Generation anstreben, ist das Thema zu wichtig, um sich blind auf die Leistung der Finanzindustrie zu verlassen.

Dies gilt wohl umso mehr, als wir gesehen haben, dass der von den meisten Vermögensverwaltern und Banken verwendete Lösungsansatz der modernen Finanzökonomie nicht über alle Zweifel erhaben ist. Seine Anwendung verlangt ein Wissen, über das wir leider nicht verfügen. Unsere Fähigkeit, die zukünftige Renditeverteilung der verschiedenen Anlageklassen zu beurteilen, ist halt sehr beschränkt.

Kommt hinzu, dass die Arbeitsprozesse in vielen Banken uns entgegen besserem Wissen in ein Korsett von einem Anlageziel mit einer Risikopräferenz pressen, das den Zielen und Vorstellungen der meisten Menschen nicht gerecht wird. Wir verfügen in der Regel über mehrere Ziele und sollten auch mit unterschiedlicher Risikopräferenz anlegen dürfen. Schliesslich haben wir gesehen, dass es sehr sinnvoll ist, die grundsätzlichen Vorstellungen über unsere Anlagen schriftlich festzuhalten.

Zum Glück dürfen wir feststellen, dass die Anwendung von blossem gesundem Menschenverstand uns bereits sehr weit bei der Erreichung unserer finanziellen Ziele bringen kann. Diversifikation in den Anlagen ist wichtig. Eine möglichst gleich verteilte Anlagestrategie kann uns zumindest vor den grössten Fehlern beim Investieren bewahren. Mit diesem Wissen ausgerüstet können wir uns auf die Suche nach einem Vermögensverwalter machen oder die Leistung unseres aktuellen Verwalters hinterfragen.

Tatsächlich glaube ich, dass die beiden wichtigsten Kompetenzen, die ein Anleger heute besitzen muss, die Fähigkeit ist, seine Strategie zu definieren und seinen Vermögensverwalter zu überwachen. Bei Letzterem kommt es darauf an, anhand von Leistungszahlen mit Augenmass die abgelieferten Anlageergebnisse zu bewerten.

Strategie und Überwachung der Verwalter sind die wichtigsten Aufgaben des Anlegers

Wegen der allein schon durch die elektronischen Medien wachsenden Transparenz werden die Vermögensverwalter auf die wachsende Kritik an ihrer Leistung reagieren müssen. Ich kann mir gar nichts anderes vorstellen, als dass in den kommenden Jahren die guten Vermögensverwalter die Überwachung und Kontrolle ihrer Leistung durch ihre Kunden, aber auch durch Finanzberater und die Öffentlichkeit aktiv unterstützen werden. Wer gut ist, hat nicht nur nichts zu verlieren, sondern kann zulasten der mediokren und schlechten Anbieter sogar viel durch Transparenz gewinnen.

Zumindest erleben wir das so in unserer täglichen Arbeit bei unserer Beratungsfirma ZWEI – Wealth Experts. Als wir 2015 mit der

Beratung von Privatkunden über Anlagestrategie und Vermögens-
verwalterauswahl und -kontrolle begonnen haben, hatten wir Sorge,
dass uns die Verwalter und Banken nicht die nötigen Daten zur Verfügung stellen würden. Tatsächlich hat die überwiegende Mehrzahl
der Anbieter sehr positiv reagiert. Die wirklich guten Anbieter, weil
Sie sich zu Recht mehr Kunden erhoffen. Die weniger guten Anbieter, weil Sie erhoffen, durch unsere Rückmeldungen zu lernen und
so wieder schneller zu einer wettbewerbsfähigen Dienstleistung zu
kommen. Heute arbeiten mehr als 90 Prozent des Schweizer Markts
mit uns zusammen.

Diese Beobachtung macht mich optimistisch, dass wir am Anfang einer grossen Veränderung in der privaten Vermögensverwaltung stehen. Sie können dazu beitragen, indem Sie Ihre Kundenwün-
sche nach der Lektüre dieses Buchs hoffentlich klarer formulieren
können und besser wissen, worauf es beim Anlegen ankommt.

Schlussgedanken

«It often happens that the universal belief of one age of mankind – a belief from which no one was, nor without an extraordinary effort of genius and courage could at the time be free – becomes to a subsequent age so palpable an absurdity, that the only difficulty then is to imagine how such a thing can ever have appeared credible.»

John Stuart Mill (1806–1873)

Die wissenschaftliche Beschäftigung mit dem, was wir Wirtschaft nennen, war für uns Menschen in den vergangenen Jahrhunderten sehr nützlich. Das Wissen darum, wie wir am effizientesten unsere wirtschaftlichen Beziehungen organisieren können, hat massgeblich dazu beigetragen, dass grosse Teile der Menschheit Armut und Elend ihrer Vorväter hinter sich lassen konnten. So geht zum Beispiel ökonomischer Fortschritt regelmässig mit einer Verbesserung von Ernährung und Gesundheit einher. Kindersterblichkeit und Kinderarbeit lassen sich durch wirtschaftliche Entwicklung entscheidend bekämpfen. In den marktwirtschaftlich organisierten Gesellschaften lebt heute die Mittelschicht in besseren wirtschaftlichen Verhältnissen als so manch ein autokratischer Potentat, der das Grundwissen der Ökonomie ignoriert.

Die Ökonomie hat einen wichtigen Beitrag zu unserer Entwicklung geleistet

Der Wirtschaftswissenschaften haben aber nicht nur geholfen, unsere materiellen Lebensumstände zu verbessern. Weil Ökonomie sich eben nicht nur mit Geld beschäftigt, dürfen wir Ökonomen auch stolz auf unseren Beitrag zur Entwicklung einer freiheitlichen Gesellschaft hinweisen. Ökonomen haben wichtige Anstösse zu der Gestaltung einer Gesellschaft geliefert, in der Meinungspluralität selbstverständlich ist, in der Menschen weitestgehend über ihr Leben selbst bestimmen können und in der die wirtschaftlich Schwachen geschützt und unterstützt werden.

Es gibt also viele Dinge, auf die wir Ökonomen stolz sein können. Ökonomie kann einen relevanten und positiven Beitrag zur gesellschaftlichen Entwicklung leisten.

Umso mehr muss man staunen, wenn man auf viele der zurzeit geführten öffentlichen Diskussionen zur wirtschaftlichen Entwicklung schaut. Auch wenn diese Themen nur einen kleinen Teil dessen darstellen, mit dem sich die Ökonomie auseinandersetzt, kann man nicht anders als über das Bild enttäuscht sein, das wir Ökonomen in der Öffentlichkeit abgeben. Besonders betrübt mich, wie sehr sich die Ökonomie bei der Beantwortung der Fragen rund um die weltwirtschaftliche Entwicklung und die Finanzmärkte zu einem Teil der Unterhaltungsindustrie hat machen lassen.

Durch Konzentration auf empirisch belastbare Aussagen können wir wieder Glaubwürdigkeit gewinnen

Das regelmässig beobachtbare Vortäuschen von Wissen, das wir nicht besitzen, und die häufige Vermischung von Wünschbarem und Prognostizierbarem haben zu einem starken Verlust an Vertrauen der Menschen in unsere Wissenschaft geführt. Dabei könnten wir sehr viel zu einer praktischen Bewältigung vieler grosser, aber auch vieler alltäglicher wirtschaftlicher Herausforderungen beitragen. Voraussetzung dafür ist aber, dass wir uns auf die wenigen Dinge konzentrieren, die wir als Wissen bezeichnen dürfen. Das sind in der Regel Vorstellungen über wirtschaftliche Zusammenhänge, die nicht nur theoretisch Sinn ergeben, sondern die sich auch empirisch bewährt haben.

Zusammenfassung: Trendwachstum fällt weiter

Im Verlauf dieses Buchs haben Sie einige wichtige dieser Konzepte kennengelernt. Das Bild über unsere wirtschaftliche Zukunft, das sich uns erschliesst, wenn wir die wenigen Bausteine unseres Wissens zusammensetzen, ist eindrücklich. So haben wir gesehen, dass wir damit rechnen müssen, dass das weltwirtschaftliche Wachstum in den kommenden Jahrzehnten im Trend weiter rückläufig sein wird. Die grössten Wachstumsrückgänge werden wir in China sehen. Aber auch in vielen Industrienationen werden wir bei weitem nicht mehr an die Wachstumsraten der vergangenen Jahrzehnte anschliessen können. Trotz des reduzierten Wachstumstempos in China werden sich die relativen Gewichte in der Weltwirtschaft weiter in Richtung Asien verschieben. Dabei dürfen wir erwarten, dass insbesondere Indien massiv an Bedeutung gewinnen wird. Bereits im kommenden Jahrzehnt sollte die indische Wirtschaft China punkto Wachstum überholen.

An dieser Entwicklung werden mit grösster Wahrscheinlichkeit auch die aktuell so positiv besprochenen neuen Technologien nichts ändern. Natürlich werden auch weiterhin neue dynamische Wachstumssektoren entstehen. Demgegenüber stehen aber auch stagnierende und sogar dem Verschwinden geweihte Wirtschaftsaktivitäten. Genauso wenig, wie sich die optimistischen Träume von so manchem Zukunftsforscher zu diesem Thema erfüllen werden, müssen wir Angst haben, dass die neuen Technologien zu einem dauerhaften Verschwinden von Arbeitsplätzen führen. Es gibt keinerlei Anzeichen dafür, dass Strukturwandel im 21. Jahrhundert anders ablaufen wird als in den 20 Jahrhunderten davor. Natürlich wird es auch in Zukunft Verlierer der wirtschaftlichen Veränderungen geben. Diesen gilt es Sorge zu tragen. Gesellschaftlichen und wirtschaftlichen Wandel verhindern zu wollen, würde aber bedeuten, die Wahlfreiheit der Bürger, die letztlich diese Entwicklung durch ihr verändertes Verhalten vorantreiben, einschränken zu müssen. Das will gut überlegt sein.

Während wir über die mittel- bis langfristige Wirtschaftsentwicklung relativ viel wissen, ist unser Wissen in der kurzen Frist begrenzt. Konjunkturell wissen wir leider deutlich weniger, als wir gerne wüssten. In dem Moment, in dem ich diese Zeilen schreibe, weisen alle Konjunkturindikatoren auf eine Fortsetzung des Aufschwungs der vergangenen Jahre hin. Dennoch scheint klar, dass wir dem Ende dieses Zyklus entgegengehen. In den USA, Japan und der Schweiz stehen wir kurz vor neuen historischen Spitzenwerten, was die Dauer der Expansion des Volkseinkommens angeht. In der Eurozone ist der Aufschwung aufgrund der Rezession, die auf die Eurokrise folgte, noch etwas jünger. Die in den letzten Jahren weltweit äusserst expansiv eingestellte Geldpolitik der Industrienationen hat sicherlich dazu beigetragen, den Zyklus zu verlängern. Da unsere Konjunkturprognoseinstrumente nur in der extrem kurzen Frist von wenigen Quartalen greifen, müssen wir uns aber aktuell auf einen neuerlichen Abschwung vorbereiten und Quartal für Quartal die Frühwarnindikatoren der Konjunktur beobachten.

Die Folgen der historisch einmaligen Expansion der Geldmengen der letzten Jahre werden uns nach allem, was wir wissen, wohl noch längere Zeit beschäftigen. Bisher standen die Vorteile der Geldpolitik im Mittelpunkt der öffentlichen Diskussion: Rettung des Finanzsystems, Konjunkturförderung und Stabilisierung von wichtigen Wechselkursen. Nun scheinen wir uns mehr und mehr mit den Kosten dieser Politik auseinandersetzen zu müssen. Vieles spricht dafür, dass wir in den kommenden Jahren eine Zunahme der Preissteigerungsraten erleben werden. Höhere Inflation geht normalerweise mit höheren Zinsen einher. Auch wenn Zinsprognosen in der Regel kaum möglich sind, sollten wir uns vergegenwärtigen, dass ein Versuch der Notenbanken, die geschaffene Liquidität zumindest partiell zurückzuführen und die Inflationserwartungen nicht allzu schnell ansteigen zu lassen, tatsächlich zu steigenden Zinsen führen könnte. Zumindest aber müssen wir damit rechnen, dass der in den letzten beinahe 40 Jahren dominierende Trend zu immer weiter fallenden Zinssätzen gestoppt ist.

Das hat grosse Auswirkungen auf die zukünftige Entwicklung der Finanzmärkte. Da ein Grossteil der dort gehandelten Anlagen im Wert auf Zinsveränderungen reagiert, werden die zukünftigen Erträge strukturell anders aussehen, als es die Daten der Vergangenheit uns vermitteln. Selbst wenn das Zinsniveau in den kommenden Jahren konstant niedrig bleiben sollte, werden Aktien, Immobilien und Obligationen einen deutlich niedrigeren Gesamtertrag aufweisen, als wir es gewohnt sind. Sollten die Zinsen steigen, müssen wir mit stagnierenden Werten oder sogar je nach Anstieg und Duration der Anlageklasse mit deutlichen Rückschlägen rechnen.

Damit ist heute bereits klar, dass aufgrund einer mehr oder minder raffinierten Extrapolation von Vergangenheitserträgen berechnete Anlagestrategien kaum erfolgreich sein können. Das trifft die Branche der Vermögensverwalter doppelt hart. Zum einen haben wir gesehen, dass das am häufigsten verwendete Modell der Portfoliokonstruktion bereits bis heute kaum angemessene Resultate geliefert hat. Wenn die Industrie so weitermacht, wird den Kunden nach Abzug von Kosten und Implementationsverlusten wohl kaum noch etwas an Rendite übrig bleiben. Unzufriedene Kunden scheinen damit vorprogrammiert. Zum anderen werden in Zukunft die Kundenvermögen aufgrund der zu erwartenden Renditen deutlich langsamer wachsen als in der Vergangenheit. Vielleicht sind sie sogar trotz immer wieder neu gebildeter Ersparnisse stagnierend oder rückläufig.

Die Vermögensverwaltung wird damit ihren Status als Wachstumsbranche verlieren. Wenn wir uns überlegen, dass eine wachsende Unzufriedenheit der Kunden und eine zunehmende Transparenz über die tatsächlich erbrachte Leistung und die realen Kosten den Druck auf die Gewinnmargen der Anbieter erhöhen wird, wird deutlich, dass die Branche vor grossen Herausforderungen steht. Nehmen Sie nun noch hinzu, dass es ernstzunehmende Zweifel an der Angemessenheit der Anwendung der modernen Finanzmarktökonomie gibt, werden Sie verstehen, wieso ich zu dem Schluss komme, dass sich die Vermögensverwaltungsindustrie neu erfinden muss.

Dabei muss und darf man das Kind nicht mit dem Bade ausschütten. Viele der in den vergangenen Jahrzehnten entwickelten Modelle sind, vorsichtig angewandt und zurückhaltend interpretiert, extrem nützlich. Nur mit der Vorsicht und der Zurückhaltung hapert es leider bei so manchem Anbieter.

Das Weltmodell, das uns alle Zusammenhänge erklärt und uns dann maschinell die richtige Lösung präsentiert, besitzen wir leider nicht. Da wir es bei der Wirtschaft und den Finanzmärkten mit sozialen Systemen zu tun haben, die sich nicht nur ständig wandeln, sondern sich auch auf ihre Selbstreflexion hin ändern, glaube ich auch nicht, dass es uns in absehbarer Zeit gelingen wird, ein solches Modell zu finden. Damit scheint mir die aktuell so faszinierende Entwicklung in Richtung einer maschinellen Beratung von Kunden wohl noch auf Jahre hinaus mit grossen Umsetzungsschwierigkeiten behaftet zu sein. Statt mit allzu grossem Selbstvertrauen auf die Kraft von Algorithmen und Modellen zu setzen, bleibt in meinen Augen grosse Bescheidenheit bezüglich unserer Prognosefähigkeit und unserer Portfoliotheorie vorläufig noch angebracht. Wir bleiben in Anlagefragen mit einem Problem der Ungewissheit konfrontiert.

Trotz dieser Bescheidenheit braucht es immer wieder auch den Mut, dann, wenn empirisch bewährtes Wissen vorhanden ist, für die Anwendung des Wissens zu werben. Wenn wir Ökonomen dann noch in der Lage sind, unsere eigenen ideologischen Präferenzen bei der Beurteilung der Situation hintanzustellen, haben wir eine Chance, unsere Glaubwürdigkeit bei den Kunden wiederzugewinnen.

Konzentrieren Sie sich auf unser weniges Wissen Was das alles mit Ihnen zu tun hat? Ich hoffe, ich konnte Ihnen bei der Lektüre dieses Buchs ein paar Hinweise geben, wie Sie Ökonomie sinnvoll zur Unterstützung Ihrer Entscheidungen einsetzen können. Vielleicht fällt es Ihnen jetzt leichter, dem verlockenden Charme der Alleswisser in meiner Zunft zu widerstehen. Wenn Sie in Zukunft keine Aktienmarkt- und Wechselkursprognosen mehr konsultieren und wenn Sie bezüglich der Konjunkturaussagen meiner Kollegen skeptischer geworden sind, dann sparen Sie zumindest viel Lebenszeit ein, indem Sie auf die Beschäftigung mit diesen Informationen verzichten. Wenn Sie darüber hinaus auch gegenüber Ihrem Vermögensverwalter kritischer geworden sind und beginnen, ihn an einer vernünftigen Vergleichsgrösse zu messen und aktiv die Gesamtkosten der Verwaltung mit ihm zu diskutieren, dann sparen Sie mit grosser Wahrscheinlichkeit auch eine Menge Geld.

Lassen Sie mich das Buch mit einer persönlichen Bemerkung beenden. Wenn ich in diesem Text skeptisch mit dem Gebaren meiner Zunft umgegangen bin, dann ist mir nur allzu schmerzlich bewusst, dass ich in der Vergangenheit genau wie manch ein Kollege auch viele Fehler gemacht habe. So habe auch ich am Anfang meiner Karriere genauso über Konjunktur, Zinsen und Wechselkurse gedacht, wie es heute noch viele meiner Kollegen tun.

Auch heute noch mache ich sicherlich viele Dinge nicht richtig. So bin ich mir sicher, dass dieses Buch viel Kritik von den angesprochenen Kollegen ernten wird. Ein Teil davon wird sicherlich aus Selbstschutz und teilweise vielleicht sogar wider besseres Wissen erfolgen. Ein anderer Teil wird aber auch gerechtfertigt sein. Es ist für mich unvorstellbar, bei einer so komplexen Materie und dem Versuch, sie so einfach wie möglich darzustellen, keine Fehler zu machen. Ich freue mich auf die Auseinandersetzung mit meinen fachlichen Irrtümern, weil ich mein Wissen über die Dinge erweitern möchte, die uns wirklich helfen können, bessere Entscheidungen zu fällen.

Besonders kritisch werden die Finanzmarktökonomen dieses Buch lesen. Der fundamentale Zweifel, der uns beschleichen muss, wenn wir die empirische Leistung unserer Modelle und ihrer Anwendung in der Praxis der Finanzanlage ernst nehmen, ist unangenehm. Hier gilt es, lieb gewonnene Vorstellungen loszulassen, die für manche meiner Kollegen fast naturgesetzlichen Charakter erlangt haben. Meine Hoffnung ist dennoch, dass mehr und mehr meiner Kollegen einsehen, dass wir nur dann unsere Wissenschaft zum Nutzen der Menschen einsetzen können, wenn wir das Unangenehme nicht ignorieren und unser Tun an dem wenigen Wissen, das einer empirischen Überprüfung standhält, orientieren.

Quellenverzeichnis

Grafiken

Wachstum

1-1 Groningen Growth and Development Centre, Wellershoff & Partners
1-2 Groningen Growth and Development Centre, Wellershoff & Partners
1-3 Federal Reserve Economic Data (St. Louis Fed), Wellershoff & Partners
1-4 Organisation for Economic Co-operation and Development, Wellershoff & Partners
1-5 Groningen Growth and Development Centre, Organisation for Economic Co-operation and Development, Wellershoff & Partners
1-6 Jochum (2009), Patton und Timmerman (2010), Wellershoff & Partners
1-7 Thomson Reuters Datastream, Wellershoff & Partners
1-8 Federal Reserve Economic Data (St. Louis Fed), Wellershoff & Partners
1-9 Organisation for Economic Co-operation and Development, Wellershoff & Partners
1-10 Organisation for Economic Co-operation and Development, Wellershoff & Partners
1-11 Thomson Reuters Datastream, Wellershoff & Partners

Inflation

2-1 Global Price and Income History Group, Wellershoff & Partners
2-2 Schweizer Nationalbank, Thomson Reuters Datastream, Wellershoff & Partners
2-3 Schweizer Nationalbank, Federal Reserve Economic Data (St. Louis Fed), Wellershoff & Partners
2-4 Schweizer Nationalbank, Federal Reserve Economic Data (St. Louis Fed), Wellershoff & Partners
2-5 Thomson Reuters Datastream, Wellershoff & Partners
2-6 Thomson Reuters Datastream, Wellershoff & Partners

Finanzmärkte

3-1 Thomson Reuters Datastream, Wellershoff & Partners
3-2 Federal Reserve Economic Data (St. Louis Fed), Wellershoff & Partners
3-3 Thomson Reuters Datastream, Wellershoff & Partners
3-4 Wellershoff & Partners
3-5 Federal Reserve Economic Data (St. Louis Fed), Wellershoff & Partners
3-6 Wüest Partner, Bundesamt für Statistik, Wellershoff & Partners
3-7 Bloomberg, Wellershoff & Partners
3-8 Thomson Reuters Datastream, Wellershoff & Partners
3-9 Thomson Reuters Datastream, Wellershoff & Partners

Anlegen

4-1 Schweizer Nationalbank, Thomson Reuters Datastream, Wellershoff & Partners
4-2 Banque Pictet & Cie, Wellershoff & Partners
4-3 Goyal und Welch (2008), Wellershoff & Partners
4-4 Thomson Reuters Datastream, Wellershoff & Partners
4-5 Thomson Reuters Datastream, Wellershoff & Partners
4-6 ZWEI Wealth Experts, Wellershoff & Partners
4-7 ZWEI Wealth Experts, Wellershoff & Partners
4-8 ZWEI Wealth Experts, Wellershoff & Partners
4-9 Thomson Reuters Datastream, Wellershoff & Partners

Tabellen

Wachstum

1-1 Organisation for Economic Co-operation and Development,
    Wellershoff & Partners
1-2 Thomson Reuters Datastream, Wellershoff & Partners

Finanzmärkte

3-1 Organisation for Economic Co-operation and Development,
    Wellershoff & Partners

Anlegen

4-1 ZWEI, Wellershoff & Partners

Hans Rentsch
Wie viel Markt verträgt die Schweiz?

Ökonomische Streifzüge
durchs Demokratieparadies

256 Seiten, gebunden
ISBN 978-3-03810-238-0

Wie stark ist der Einfluss ökonomischer Erkenntnisse auf die Politik? Setzt sich in unserem direktdemokratischen System eine grössere Marktskepsis in der Politik durch als anderswo? Immer wieder ist zu beobachten, dass die Politik unter Billigung der mündigen Bevölkerung grundlegende ökonomische Erkenntnisse missachtet. Föderalismus und direkte Volksrechte scheinen zu bewirken, dass auch Bereiche, die nach ökonomischer Logik in die Markt- und Privatsphäre gehören, kollektiven Beschlüssen beziehungsweise staatlicher Kontrolle unterworfen bleiben. Dadurch hat die Schweiz Mühe, aus eigener Initiative ökonomisch sinnvolle Liberalisierungen zu realisieren.

Hans Rentsch gewährt Einblick in Denkmuster der ökonomischen Wissenschaft und relativiert den populären Vorwurf, Ökonomen seien sich nie einig, weshalb man ihrem Rat auch nicht vertrauen könne.

«Die Diagnose von Rentsch ist offensichtlich: Die Schweiz tut sich mit Liberalisierungen schwer. Die Liste festgefahrener Reformen ist lang.»
Peter Morf, Finanz und Wirtschaft

NZZ Libro – Buchverlag Neue Zürcher Zeitung
www.nzz-libro.ch